GUÉRIR
DE
SON
CHAGRIN

GUÉRIR DE SON CHAGRIN

LAWRENCE ROBERT YEAGLEY

Couverture : Robert Harris, *The Dead Bird* c. 1890
huile sur canevas, 40,6 × 50,8 cm
Collection privée
Photographie : T. E. Moore, Toronto
Photo courtoisie de la Robert McLaughlin Gallery
Oshawa, Ontario, Canada.

Diffusion pour l'Amérique :

Publications ORION Inc.
C.P. 1280, RICHMOND (Québec)
Canada J0B 2H0
Tél. : (819) 848-2888
FAX : (819) 848-2021

Diffusion pour l'Europe :

DIFFUSION-EXPRESS
1, avenue d'Etampes
91410 DOURDAN, France
Tél. : 01.60.81.93.08
FAX : 01.60.81.93.06

Publications ORION Inc.
C.P. 1280, RICHMOND (Québec),
Canada J0B 2H0

ISBN 2-89124-025-1

Traduction et adaptation par Danièle Starenkyj

Dépôts légaux – 4ᵉ trimestre 1999
Bibliothèque Nationale du Québec
Bibliothèque Nationale du Canada

Introduction

Il y a des livres qui sont le résultat d'années de recherches dans des bibliothèques sombres et poussiéreuses. Certes, j'ai passé de très nombreuses heures à lire les auteurs qui ont abordé le problème de la souffrance humaine. Par contre, je n'ai retenu qu'une fraction infime de leurs conseils car les théories sont rarement applicables à la vraie vie.

Ma bibliothèque, pour écrire ce livre, a été des centaines d'hommes, de femmes et d'enfants engouffrés dans le vide paralysant de leur chagrin. J'ai accepté d'entrer dans leur douleur et ils m'ont ouvert leur cœur. Nous avons souffert ensemble. Nous avons appris ensemble. Nous avons guéri ensemble. Dans le laboratoire des espoirs brisés.

Nous avons passé peu de temps sur la théorie. Les réalités crues de la discontinuité nous ont fouettés en plein visage. Nous avons été forcés de mettre de côté les superficialités sociales et théoriques de notre monde en décrépitude. La douleur et la solitude nous ont conduits aux priorités de la vie. Et c'est en se focalisant sur ces priorités que nous avons expérimenté la résurrection de l'espérance.

J'ai marché sur le sentier rugueux des multiples deuils humains avec des gens de toutes les conditions. Leur histoire à chacun est gravée d'une manière indélébile dans mon esprit. Mon caractère a été façonné en profondeur par leurs tragédies et leurs transformations. Il m'est impossible d'effacer leurs empreintes dans tout mon être. Elles sont présentes dans mes rêves et dans mes réflexions quotidiennes, non pas de façon morbide, mais apparaissant chaque fois que je réfléchis au triomphe de la vie sur la mort.

Officiellement, je suis l'auteur de ce livre, mais en vérité, il y a derrière mon nom des centaines de noms d'hommes et de femmes qui sont tous des autorités sur le chagrin. Ils ont voulu rester anonymes. Leur anonymat ne diminue en rien la force de leur message.

1

La douleur
du chagrin

« Cela fait un an que Jimmy est mort. Je ne devrais plus souffrir maintenant mais l'intensité de ma douleur et le vide que je ressens sont aussi grands que le jour où il est mort. » Virginie me parlait en fixant la fenêtre.

« J'aimerais faire des achats mais je ne supporte plus de voir des vêtements d'homme dans les vitrines. Je ne puis m'empêcher de penser combien Jack serait élégant dans ce costume.

– Vous venez de dire Jack?, demandai-je surpris, je pensais que vous parliez de Jimmy!

– Jack était mon fils. Il est mort sur la table d'opération au cours d'une chirurgie mineure. Il n'avait que 17 ans. Il était fort et bien bâti. Il était trop beau et trop gentil pour partir ainsi sans avertissement !

– Depuis combien de temps Jack est-il mort ?

– Cela fera 30 ans le 12 de ce mois. Je sais que cela peut paraître étrange, mais laissez-moi vous expliquer. Après l'enterrement, mon mari Jimmy a déclaré fermement que nous ne parlerions plus de Jack. Il m'a dit que de parler de notre fils ne le ramènerait pas à la vie. Inutile de ressasser ce malheur. Alors nous n'avons jamais parlé de lui. Et maintenant que Jimmy est mort lui aussi, nous n'aurons jamais la chance de parler de Jack.

– Avez-vous parlé à quelqu'un de la mort de Jack ? demandai-je.

– Non, non. J'ai pleuré un peu à son enterrement, mais je ne pense pas dire que j'ai vraiment pleuré beaucoup. Il y a seulement cette atroce douleur qui me colle aux os depuis 30 ans. Et depuis que Jimmy est parti, la douleur est encore plus grande. Je n'arrive plus à savoir pour qui je souffre : Jimmy ou Jack.

– Arrivez-vous à pleurer maintenant ?

– Les larmes sont là, mais je n'arrive pas à les sortir. Peut-être que j'ai peur de m'effondrer complètement. En réalité, je voudrais mourir pour que ma douleur cesse. Ma vie n'a plus de sens sans Jimmy et sans Jack. Autant en finir avec tout ça. »

Le chagrin de Virginie était dû, en partie, au fait que son mari avait une fausse idée du chagrin.

Jimmy n'était pas le seul homme à ne pas savoir comment survivre à un deuil.

« Suite à mon divorce, j'ai décidé de vendre ma maison et de voyager, m'a dit Suzanne. J'ai alors placé ma propriété dans les mains d'un courtier et le lendemain même je suis partie en Europe pendant trois mois. À mon retour, je suis allée passer quelques semaines chez une de mes sœurs. Je me disais qu'il valait mieux se tenir loin de tous mes souvenirs. »

Suzanne est l'ex-femme d'un homme d'affaires important. Elle n'a commencé à s'affliger de son chagrin que lorsqu'elle a été hospitalisée pour une pneumonie.

« Ce qui me garde debout, c'est le travail. Je suis chauffeur de camion. Je m'arrête pour dormir, mais c'est absolument tout. Le reste du temps, je suis sur la route. Je vois constamment du nouveau et je rencontre des tas de gens inconnus. S'il fallait que je m'arrête et pense, je m'effondrerais. Alors je continue et je me pousse jusqu'à ce que tout soit passé. »

Tom croyait que s'il se tenait très occupé, son chagrin s'évanouirait tranquillement.

« Tout va bien. Je fais le tour de la maison et j'imagine qu'il est là. En réalité, je lui parle constamment. Je peux même sentir sa présence. Ce n'est pas comme avant, mais cela me réconforte de lui parler et d'imaginer qu'il est encore avec moi. »

Pour Melinda, sa façon à elle de régler son chagrin était de fantasmer.

« Si je trouve suffisamment de choses excitantes à faire, cela va m'empêcher de tomber en dépression. J'ai essayé à peu près tous les sports dangereux. Je me suis transformé en cascadeur. »

Pourtant, les autos et les motos de course n'arrivaient pas à étouffer les puissantes émotions du chagrin de Stuart.

Les personnes dont je vous ai parlé ont toutes une chose en commun : Elles fuient la réalité et la douleur d'une perte. Elles ont un chagrin.

Le chagrin est une souffrance de l'âme causée par une contrariété, un désappointement, une perte qui affecte la personne dans sa totalité, la mine, la ronge mais qui, si profonde qu'elle soit, peut toujours se cacher.

La douleur du chagrin assaille, attaque avec force notre système tout entier. Pourquoi ? Le script de notre vie ne prévoit pas la mort d'un bébé dans son sommeil. Il n'inclut pas l'annonce inattendue d'une demande de divorce. Notre script ne comporte pas un diagnostic de cancer. Il n'a pas programmé un accident mortel de la route. Alors, quand notre vie et son script entrent soudain en collision, il se déclenche un choc de douleur aiguë qu'il est impossible d'éviter.

Mes parents ont perdu six enfants mais, très longtemps, je suis resté étranger à leur souffrance… jusqu'au jour où, sans avertissement, mon fils a été tué dans un accident d'automobile. Cela faisait quatre ans que je donnais des cours de groupe pour personnes affligées d'un chagrin lorsque la tragédie a frappé, et pourtant cette douleur fut pour moi une expérience totalement nouvelle. Je fus pris de court. Il n'y avait aucun autre être humain qui pouvait porter cette souffrance pour moi. C'était ma souffrance. Elle était unique. Et par moment, elle me terrifiait.

Ma douleur a coloré pendant de nombreux mois tout ce que je faisais. Je me rappelle cette fois-là où je siégeais sur un comité chargé des soins psychiatriques dans un hôpital, quand le téléphone a sonné. Un ami a répondu et a dit que c'était pour moi. Je pâlis instantanément. Le chef de la psychiatrie vint au téléphone pour vérifier si tout allait bien. Il se détendit quand je lui eus dit que ce n'était pas une autre urgence qui me concernait. Pourtant aussitôt que l'on m'avait dit que l'appel était pour moi, j'avais ressenti une douleur soudaine et intense. Il a fallu longtemps pour que cette douleur s'apaise.

La douleur émotionnelle d'un chagrin est si intense que la peur, la colère et les larmes peuvent jaillir instantanément et à notre insu. Des gens m'ont raconté qu'il leur arrivait d'éclater en sanglots alors qu'ils poussaient leur chariot de provisions à l'épicerie et de se mettre terriblement en colère pour des peccadilles. Une amie chère a tremblé à l'intérieur d'elle-même pendant des semaines après que son enfant soit mort.

Le chagrin nous blesse physiquement. Le chagrin est fait de centaines d'émotions puissantes qui nous bombardent simultanément. Il est presque impossible d'identifier exactement ce que l'on ressent.

En fait, il y a des personnes qui décrivent cette expérience comme en étant une de confusion totale. Cet état de confusion nous déséquilibre complètement. On sait aujourd'hui que le chagrin aggrave des maladies existantes et provoque des comportements qui rendent les gens fragiles et en font des proies faciles pour les maladies infectieuses[1].

Je ne suis pas dans la recherche mais de très nombreux participants à mes groupes de soutien m'ont rapporté qu'ils étaient littéralement tombés malades de leur chagrin.

Lorsque l'on perd une relation importante, c'est comme si l'on venait de se faire voler : Quelqu'un nous a été arraché.

Il y a quelques années, j'ai subi une chirurgie. L'incision fut recouverte de sparadrap laissé en place jusqu'à ce que je sois prêt à rentrer à la maison. Mon séjour à l'hôpital dura plusieurs semaines et les poils de la peau avaient eu le temps de repousser. Au moment du départ, le docteur me dit qu'en arrachant le pansement d'un seul coup brusque, cela me ferait moins mal que s'il l'enlevait millimètre par millimètre. J'ai encore de très sérieux doutes sur sa théorie, mais je n'ai aucun doute que lorsqu'un être aimé nous est ravi, nous ressentons instantanément une douleur atroce.

---

1. Osterweis M., Salomon F.,Green M., Editors, *Bereavement – Reactions, Consequences, and Care*, National Academy Press, Washington D.C., 1984.

Le chagrin blesse les familles. Il les déséquilibre entièrement. Il crée une confusion des rôles alors que chacun essaie de remplir le vide laissé par l'être disparu.

Cela peut être terrible ! Pendant des mois, vous êtes là, assis à table, à regarder des membres de la famille qui souffrent comme vous. Vous voulez que quelqu'un vous aide vous, personnellement, et en même temps vous voulez aider les autres. Ces sentiments s'entrechoquent et vous laissent confus.

Je me rappelle très clairement la fois où je suis allé dans le jardin quelques semaines après la mort de mon fils aîné. Mon plus jeune fils ratissait les feuilles mortes. Je vis sur son visage sa douleur et j'eus envie de la soulager, mais au même moment, j'ai senti nettement que je voulais que quelqu'un soulage ma douleur à moi. Et puis, il y avait ma femme et mes autres fils. À les voir tous, ma douleur s'intensifiait. Je voulais les guérir mais j'étais impuissant à les aider.

Le premier Noël après la mort de mon fils fut désastreux pour notre famille. Ma femme et moi étions allés faire quelques achats de dernière minute pendant que nos trois fils décoreraient l'arbre. À notre retour, nous avons trouvé l'arbre monté et orné mais nos garçons étaient chacun dans leur chambre, alors que d'habitude nous les retrouvions couchés sur le tapis du salon, admirant les lumières scintillantes du sapin.

C'était Jeffrey, notre fils décédé, qui avait l'habitude d'installer les lumières mais il n'était plus là pour le faire. Qui donc des trois frères prendrait sa place? Les garçons commencèrent par se disputer mais tant bien que mal l'arbre fut décoré. Puis l'un d'eux trébucha sur une guirlande et l'arbre se renversa. Il fallut alors remettre en place plusieurs décorations. Encore aujourd'hui, quand je pense à cette soirée pénible, je me mets à pleurer.

Cela m'amène à penser à une autre soirée où j'ai ressenti instantanément la souffrance de 300 personnes. Parmi cette foule en détresse, il y avait, tout près de la porte, une jeune femme dans la mi-vingtaine, extraordinairement belle, et à côté d'elle un jeune homme dans la mi-vingtaine lui aussi, mais attaché sur une chaise roulante au dossier haut. Je ne pus m'empêcher de l'observer et bientôt je vis sa nervosité. Elle voulait parler. Elle leva finalement la main et d'une voix tremblante, elle dit:

«Monsieur, j'ai besoin d'aide. Je m'appelle Jane et voici mon mari Edward. Nous nous sommes mariés il y a dix mois, convaincus de réaliser nos rêves d'avoir une maison et des enfants, de faire des voyages et de nous aimer beaucoup. Nous avons tous les deux fait des études avancées et notre plus grand plaisir est d'échanger des idées. Tous ceux qui nous connaissent savent que nous pouvions passer des heures à parler ensemble. Trois semaines après notre mariage, on a diagnostiqué chez Edward la maladie de Lou Gehrig*. Tout d'abord, nous en avons ri. Nous étions sûrs que nous la vaincrions. Mais l'état d'Edward s'est détérioré

---

* Sclérose latérale amyotrophique

si rapidement que même les médecins n'y comprenaient rien. J'ai vu son corps perdre tous ses moyens mais tant que nous pouvions parler ensemble, je me disais que ça irait... Aujourd'hui, Edward ne parle plus. Un immense mur s'est élevé entre nous et nous ne savons quoi faire pour le démolir. Monsieur, je vous en prie, que puis-je faire avec une telle douleur ? Que dois-je faire avec cette douleur qui me paralyse à mon tour ? »

Avant même que je puisse répondre, une femme dans la soixantaine s'était levée et se tournant vers Jane et Edward, elle leur dit :

« Je viens tout juste de perdre mon mari de la même maladie. Moi aussi, je me suis demandée ce que je pouvais faire avec ma douleur. J'ai découvert que la meilleure chose à faire était de la vivre avec mon mari plutôt que de la fuir et de le fuir du même coup. J'ai aussi appris, jeunes gens, qu'il était impossible que je porte cette souffrance toute seule et qu'il me fallait des amis. Je vous le dis, vous avez besoin d'amis. Laissez-moi être votre amie. Tout de suite après cette réunion, je vous donnerai mon nom et mon adresse. Nous allons être amis. »

Immédiatement, une autre femme bondit sur ses pieds et dit précipitamment :

« Je m'appelle Audrey et voici ma fille Julie. Notre mari et père est aux prises avec la même maladie. Je connais votre douleur. Je partage votre chagrin. Je suis d'accord avec la dame qui vient de parler. Vous avez besoin tous les deux d'amis. Nous serons ces amis. »

Les témoignages fusaient de partout. Je n'arrêtais pas de passer le microphone sans fil. Chacune de ces 300 personnes avait un chagrin et une douleur immense à raconter, à partager, à avouer. La réunion tirait à sa fin. Il fallait que je réponde à Jane. Voilà en quelque mots ce que je lui ai dit :

« Jane et Edward, c'est toujours beaucoup trop tôt que l'on rentre dans la communion de ceux qui ont été brisés. La douleur, c'est le revers d'un amour profond, dévoué et fidèle. Vous avez partagé pendant dix mois votre amour ; de la même manière partagez maintenant votre chagrin. Vous découvrirez que la douleur rapproche autant que l'amour. Ne fuyez pas votre chagrin. Marchez à travers votre chagrin ensemble. Ouvrez vos bras aux gens extraordinaires qui ce soir vous offrent leur amitié. Acceptez-les dans votre vie. Il est plus facile de marcher sur le sentier de la souffrance quand on y marche avec des amis à nos côtés. »

La soirée était terminée. Je regardai l'auditoire et le vis se diriger vers Jane et Edward comme un aimant. Entouré de près de 300 personnes touchées par leur chagrin, ce jeune couple était en train de passer de la communion de ceux qui ont été brisés à la communion de ceux qui seront réconfortés.

J'ai été aumônier pendant quatorze ans dans diverses institutions médicales. J'ai travaillé dans des centres de réhabilitation pour alcooliques et drogués, des unités de chirurgie, des cliniques pour le traitement des désordres alimentaires (anorexie, boulimie, obésité), des centres psychiatriques, des salles d'urgence et des pavillons pour cancéreux. J'ai eu amplement l'occasion d'observer qu'un chagrin non résolu entravait le processus de guérison tout comme l'a fait Erich Lindeman qui a étudié les victimes du terrible incendie Coconut Grove à Boston. Les personnes qui avaient été brûlées et qui avaient perdu un être cher dans le feu guérirent infiniment moins vite que les personnes qui avaient été brûlées et qui n'avaient pas perdu un membre de leur famille ou un ami dans cette tragédie.

Je fis un jour une visite à une dame qui venait tout juste de subir une chirurgie au cerveau. Lorsqu'elle apprit que j'étais l'aumônier de l'hôpital, elle me demanda de prier pour elle car elle avait enterré sa fille à peine huit semaines auparavant.

« Elle est morte du cancer. Elle était si jeune. J'ai perdu ma fille ! », pleurait la dame. Elle pleurait sans retenue et je lui tenais la main tout en lui parlant sur un ton rassurant.

J'eus peur pour un moment que ses pleurs si vite après son opération ne lui fassent du tort ; mais je remarquai que plus elle pleurait, plus elle se détendait. Pleurer la délivrait de sa tension intérieure. Un jeune médecin qui passait par là lui demanda de ne pas pleurer. Je me tournai vers lui et lui dis que sa fille était morte du cancer huit semaines auparavant. Il se retira puis, plus tard, s'excusa. Il n'était pas au courant de sa perte récente, mais il accepta que de s'affliger ouvertement était bénéfique.

Depuis cette première expérience, j'ai assisté des douzaines de patients à la sortie d'une opération chirurgicale et je leur ai permis de pleurer. Généralement, ils me disent merci et expriment leur gratitude comme cette dame qui avait eu une opération au cerveau : « Merci beaucoup de m'avoir parlé. Ça m'a fait du bien. » Guérir de son chagrin accélère le processus de guérison physique.

J'entends parfois dire qu'un chagrin soudain c'est comme un rhume : Ignorez-le et il passera. Ce n'est pas vrai. Pour de nombreuses autres personnes, le chagrin est une forme de maladie mentale. Il n'est pas étonnant que tant de gens dans notre société aient honte de leur chagrin et fassent tout ce qu'ils peuvent pour le fuir et en étouffer la réalité.

« Vous devez penser que je suis quelqu'un de très faible parce que je viens vous voir », me dit Beth, « mais mon fils m'a dit qu'il fallait que j'aille voir un psychiatre. Alors je me suis dit qu'avant de faire cela, je viendrais vous parler. Dites-moi, je vous prie Lawrence, pensez-vous que je suis folle ? Ai-je vraiment besoin de consulter un psychiatre ?

– Depuis combien de temps votre mari est-il mort, Beth ?

– Cinq semaines, me répondit-elle rapidement.

– Dites-moi ce que vous ressentez.

– Eh ! bien, je pleure beaucoup. J'ai peur de sortir de chez moi car je ne sais pas quand je vais m'effondrer. Et puis, j'ai en moi cette peur terrible que quelque chose d'autre va arriver. J'étais au centre commercial pour acheter certaines choses dont j'avais absolument besoin quand, tout à coup, une peur horrible m'a saisie. Il a fallu que je sorte du magasin immédiatement. Je suis partie en courant jusqu'à ma voiture. Vous savez, j'avais une excellente mémoire mais, depuis quelque temps, j'oublic tout. En plus, j'ai une douleur là, en plein milieu de la poitrine, et elle remonte jusque dans ma gorge. Jc fais également d'affreux cauchemars : Je vois Wally mais il ne me dit jamais rien. Aussi, je me mets en colère souvent et très fort. Je n'arrive pas à dire pourquoi je suis en colère mais je crie après les personnes que j'aime le plus. Les enfants s'en rendent compte. Moi, j'en suis gênée. Je n'ai jamais été une personne irritable. J'ai fait tout ce que je pouvais pour Wally mais parfois, je mc dis que j'aurais dû l'empêcher de travailler si fort. Je pense également qu'il aurait mieux valu que je meure plutôt que lui. Je sais que ce n'est pas bien de me sentir ainsi, mais je ne puis m'en empêcher. »

Beth soupira et prit un papier mouchoir pour s'essuyer les yeux. Je lui répondis :

« Beth, très souvent les gens traitent le chagrin comme une maladie. Ils voient vos réactions. Ils se sentent mal à l'aise avec vous et ils voudraient que votre chagrin disparaisse comme un mal de tête quand on a pris un analgésique. Ils pensent que votre comportement inhabituel est dangereux et ils veulent que vous alliez consulter un psychiatre ou un psychologue. Croyez-moi, Beth, vous n'avez pas besoin d'un spécialiste, vous n'êtes pas folle. La peur, la colère, le remords, une mauvaise mémoire et de longues crises de larmes sont des réactions normales chez quelqu'un qui a perdu une relation importante. Vos réactions sont une tentative saine de votre être tout entier en vue d'une guérison.

– Oh ! voilà ce que je voulais entendre ! J'avais vraiment peur de perdre le nord avec tous ces gens qui me disaient de telles bêtises.

– Écoutez Beth, regardez les choses comme cela : Voyez votre chagrin comme une source au sommet d'une montagne. N'essayez pas de la capturer pour l'empêcher de mouiller la montagne. Non, au contraire, laissez-la couler… Elle va accélérer sa course et casca-der bruyamment sur les rochers et dans les escar-pements. La force de l'eau entraîne feuilles et sable sur son chemin. Bientôt, les eaux tourbillonnantes se transforment en un ruisseau calme qui apporte la vie aux vallées qui s'étalent au pied de la montagne. C'est ainsi qu'est le chagrin. Si vous le laissez couler, il vous transportera sur des terrains rocailleux mais finale-ment, il vous conduira vers le calme et la paix. Si vous bloquez votre chagrin, il se manifestera d'une autre façon.

– Je me sens infiniment mieux, Lawrence, dit Beth en se levant pour partir. Juste de savoir que mon chagrin n'est pas une maladie m'enlève un immense poids. C'est douloureux, mais je vais passer à travers et m'en sortir correctement. »

Vous avez avec Beth un exemple des douzaines et des douzaines de personnes que je vois chaque mois. Dès qu'elles réalisent que le chagrin est un processus normal qui s'exprime par des émotions et des sentiments puissants et contradictoires, elles sont prêtes à faire face à la réalité. Elles n'ont plus peur de leur douleur.

Les émotions que l'on cache ou que l'on nie sont les émotions qui ne guérissent pas. Ce sont ces émotions qui vont se tordre, se déformer pour nous enserrer dans un étau. Il faut cesser de croire que le chagrin est une maladie ou pire, une folie. Il faut comprendre que c'est un phénomène normal, naturel et obligatoire pour la remise en ordre d'une vie brisée par une perte.

QUELQUES EXERCICES UTILES

1) Faites une liste chronologique des pertes que vous avez subies.

2) Sur une feuille séparée, décrivez la souffrance que vous avez ressentie lors de vos pertes les plus récentes.

3) Choisissez la perte que vous considérez la plus grave. Voyez comment la douleur de cette perte a affecté votre famille et votre santé.

4) Cochez les pertes dont vous souffrez encore. Indiquez la quantité de douleur qu'elles vous causent encore : beaucoup, moyennement, un peu.

2

Pourquoi est-ce si dur ?

Vous vous rappelez les séances de projection de diapositives autrefois ? Parfois, l'image était claire, parfois elle était embrouillée et il fallait l'ajuster – cela prenait toujours trop de temps et d'hésitation – jusqu'à ce qu'elle soit à nouveau bien nette. Le chagrin c'est, tout à coup, une image de la vie embrouillée. On ne voit plus clair. Les activités auparavant plaisantes et satisfaisantes, nos plans confiants et stimulants pour l'avenir, nos besoins habituellement comblés, notre sécurité, tout devient flou parce qu'une perte tragique, soudaine et inattendue vient de nous frapper.

Une personne très importante pour nous est partie, partie à cause de la mort, du divorce, de la maladie, de la haine. Instantanément, l'image de notre vie se transforme en un fondu enchaîné et l'image qui réapparaît en est une de souffrance, d'espoirs brisés, d'insécurité profonde, d'incertitude, de fragilité, de précarité. Le chagrin s'empare de l'âme qui doit maintenant lutter avec une image virtuelle qui paralyse le présent en l'accrochant au passé et l'empêche de se tourner vers l'avenir.

Il n'existe par *un* chagrin mais il y a une multitude de chagrins. En fait, chaque personne sur cette terre a ses chagrins. Ses sentiments, l'intensité de sa peine et le temps de son deuil sont uniques. Il est faux de dire à quelqu'un : « Je sais exactement comment vous vous sentez. » Exactement ? Non. Je ne peux pas savoir exactement comment vous vous sentez, pas plus que je ne peux respirer par vos poumons ou entendre par vos oreilles.

Votre chagrin est votre chagrin. Il est personnel. Il est intime. Vous vous sentez comme vous vous sentez parce que vous êtes comme vous êtes. Ce que vous ressentez n'est ni mal ni bien. Le problème se situe au niveau de vos émotions. Qu'allez-vous en faire ? Les taire ? Les cacher ? Les nier ? Les exprimer par de la colère ou de la haine à ceux qui vous entourent et voudraient vraiment vous aider ?

C'est là que se situe le problème fondamental du chagrin. On ne peut pas en guérir sans avoir recours à des relations humaines capables de satisfaire les faims les plus légitimes de notre âme. Si la peur d'être rejeté, raillé ou mal jugé nous empêche de former autour de nous un système de soutien moral adéquat,

le chagrin deviendra une expérience cauchemar-
desque.

Mais développer un système de soutien moral
autour de nous est très souvent impossible dans notre
société mouvante et presque nomade. Combien de
familles sont déracinées d'année en année pour répondre aux exigences des compagnies pour lesquelles
elles travaillent ? On transfère des êtres humains d'un
bout à l'autre d'un pays en ignorant complètement
que chaque fois, en réalité, on les déracine et on les
coupe d'amis, de parents, de voisins sur lesquels ils
auraient pu compter en temps de crise.

Autrefois, l'église était une source de relations
profondes basées sur le désir d'aider son prochain et
de le servir. Pour la plus grande majorité des gens,
cela n'est plus le cas. La paroisse était, il y a un temps,
un groupe de personnes qui vivaient dans un même
endroit et adoraient dans la même église. Les ban-
lieues ont absorbé les populations. Les membres d'une
même congrégation sont maintenant éparpillés et
doivent faire de longues distances pour se rendre à
leur église. Les contacts en dehors des services de la
fin de semaine sont rares. Le fort individualisme enseigné dans de nombreuses philosophies a usé le sens de
la communauté. Beaucoup de ceux qui fréquentent
encore une église le font pour ce que cela peut leur
donner à eux et non pas pour ce qu'ils pourraient
donner eux. Le principe du service à son prochain a
presque disparu. Et bien sûr, cela réduit encore plus le
cercle d'amis sur lesquels on devrait pouvoir compter
en période de chagrin.

Les services funéraires ne se font plus à l'église et on les a vidés de tout rituel et de tout symbolisme religieux. Maintenant, les services funéraires se font dans un environnement « stérile ». Il y a pas longtemps encore, les familles célébraient la présentation des enfants, le baptême, le mariage et la mort dans le cadre d'un culte d'adoration. Aujourd'hui, on parle de commodité, d'économies et de respect de la famille qui n'est pas croyante et l'on reste au salon funéraire pour les derniers adieux.

Notre société a aussi retiré la mort de la maison. On ne meurt plus chez soi. On meurt dans des unités de soins intensifs, entouré de machines et de techniciens. Les familles sont dans la salle d'attente où leur anxiété prend des proportions qui confinent à la folie. Leur parent meurt, des étrangers le prépare et on les appelle enfin pour venir voir un corps mort.

Oh ! je pense encore si souvent à ce patient branché à un respirateur artificiel. La famille était épuisée de cette épreuve qui se prolongeait indûment et elle était allée se reposer à la maison.

Quand elle prit finalement la décision de mettre fin à ces traitements héroïques, elle était tellement usée qu'elle n'eût pas le courage d'aller dans la chambre de son parent. Je restai assis sur le lit de ce pauvre homme, lui tenant la main et regardant le moniteur, jusqu'à ce qu'il n'y ait plus rien...qu'une ligne... droite.

Cette pratique transforme les familles en entité inutile et impuissante. Certaines personnes suivent des thérapies de deuil après l'enterrement et là elles sanglotent : « Si seulement j'avais pu faire plus ! » Leur chagrin est inhibé par le remords que leur a imposé la séparation de leur mourant.

Une femme se plaignait à un thérapeute qu'elle se sentait coupée de son mari. Il était en train de mourir à petit feu dans un centre de soins prolongés. L'équipe médicale la décourageait d'avoir avec lui le moindre contact. Elle voulait désespérément mettre de la lotion hydratante sur ses bras tout secs mais on le lui interdisait. Elle avait l'impression que son mari était en train de devenir rapidement un total étranger. Il n'est pas difficile d'imaginer les difficultés que cette femme aurait avec son chagrin après la mort de son mari.

Le mouvement des unités de soins palliatifs, espérons, va continuer à maintenir une approche plus humaine de la mort, maintenant qu'il s'est intégré dans le système médical. Un des aspects le plus important de ces unités est qu'elles enseignent aux membres de la famille de soigner le mourant avec l'assistance d'un professionnel de la santé. Cela va définitivement faciliter le processus du chagrin.

De plus en plus de personnes choisissent à nouveau de mourir à la maison sous le patronage d'une unité de soins palliatifs ; cela devrait réduire la peur de la mort et donc faciliter pour les vivants le soin des mourants.

Je venais de terminer un cours de formation pour un groupe de consultants en unités de soins palliatifs et je me rendais à l'aéroport en taxi. Le chauffeur me regarda par dessus son épaule et me dit:

« Je ne connais pas grand chose aux unités de soins palliatifs mais je sais que je n'ai jamais eu peur de mourir.

– Pourquoi, demandai-je?

– Eh! bien, dit-il simplement, j'ai été élevé dans les Appalaches où nous faisons ce que nous appelons « la veille au chevet ». Là d'où je viens, on ne meurt jamais seul. Jamais.

– Pourriez-vous me décrire cela plus en détail?

– Voilà, quand quelqu'un est en train de mourir, toute la famille, les amis et les voisins, tout le monde vient faire son temps de veille et rester au chevet du malade jusqu'à ce qu'il expire. Vous n'avez jamais peur de mourir parce que vous savez que vous ne mourrez pas seul. Et quand cet individu est parti, ce n'est pas aussi dur à prendre parce que vous savez que vous avez fait tout ce que vous pouviez. »

Cela est une chose que beaucoup d'Américains n'ont pas encore appris à faire et que beaucoup d'Européens ont cessé de faire. Pourtant, c'est un pré-requis pour accepter plus facilement une perte.

Il est aussi très difficile de guérir de son chagrin parce que la tendance de notre société est de nier la mort. Nous avons inventé des dizaines d'euphémismes pour le mot « mort ». On en a honte. Croyez-moi, lisez seulement les feuillets donnés à l'église, écoutez les

annonces faites aux congrégations, assistez à une conférence d'infirmières et vous n'entendrez pas les mots
simples « il/elle est mort(e) » mais « il/elle est parti(e) ;
il/elle a expiré ; il/elle s'en est allé(e) ».

Cela me rappelle une expérience très pénible
alors que j'étais aumônier dans une grande unité de
soins intensifs. Un enfant qui était là depuis deux ans
était mort subitement. Sa mère était absente mais
appelée d'urgence, elle avait pu prendre son tout petit
corps meurtri dans ses bras et le serrer sur son cœur.

Deux jours plus tard, la mère était arrivée à
l'église toute seule. L'officiant commença le service
funèbre par ces mots :

« Amis, ce n'est pas le moment de pleurer. C'est
le moment de louer Dieu. Ceci est une célébration. Les
souffrances de cette petite fille sont terminées. Elle est
plus heureuse là où elle se trouve présentement que
lorsqu'elle était dans ce pauvre monde. Alors, louons
le nom du Seigneur et réjouissons-nous ! »

Après toute une tirade de dénégation, l'officiant
bénit l'assemblée puis, saluant la mère, il lui répéta :
« Loué soit le Seigneur ! » La pauvre femme serra sa
veste sur son cœur meurtri, quitta la chapelle et rentra
chez elle toute seule.

Ce soir-là, elle alla à l'unité des soins intensifs
et, s'accrochant au berceau vide de son enfant, elle
sanglota de toutes ses forces. Une infirmière qui avait
assisté au service funèbre s'approcha d'elle, la prit
dans ses bras et lui dit :

« Je suis désolée pour cet affreux service funèbre. Vous avez le droit d'être triste et de pleurer.
Demain, notre équipe va vous faire un véritable service. Je viendrai vous prendre chez vous à 10 heures et
nous ferons le service dans la chapelle de l'hôpital. »

Le lendemain, la jeune mère pleura librement
alors que chaque membre de l'équipe médicale dépo-
sait devant une rose rose puis racontait les souvenirs
qu'il avait de son petit enfant. Quelques infirmières
lurent des poèmes qu'elles avaient écrits. Plusieurs
personnes chantèrent des berceuses. Quand tout le
monde eut rendu ses hommages, l'infirmière en chef
ramassa toutes les roses, en fit un magnifique bouquet
et le plaça dans les bras de la maman. Tout le monde
alla avec elle au cimetière. Là, la mère déposa les fleurs
sur la tombe fraîche de sa fille pendant que l'infirmière en chef récitait une bénédiction qu'elle avait
rédigée.

J'ai travaillé dans de nombreux hôpitaux et
chaque fois, il me fallait souvent jusqu'à 10 semaines
pour que je découvre comment les corps étaient
emportés de la chambre à la morgue. Un visiteur
occasionnel ne peut pas savoir que la mort existe dans
un hôpital et qu'elle survient tous les jours, plusieurs
fois par jour.

Les Nord-Américains sont des maîtres de la
négation de la mort. Cela n'arrange pas ceux qui ont
un chagrin comme nous l'avons vu dans l'histoire
précédente. Cela les paralyse. Combien d'enfants sont
élevés à ne pas exprimer leurs émotions même pour

de petites pertes. Un enfant tombe et s'égratigne un genou... Combien de parents disent : « Lève-toi et cesse de pleurer. Cela n'a pas fait mal. Arrête de pleurer. Les grands garçons (ou les grandes filles) ne pleurent pas. »

Perte après perte est minimisée et inexprimée. Évidemment, il est alors normal que lorsque des pertes majeures comme la mort ou le divorce surviennent, l'expression du chagrin soit aussi étouffée, tue, mise au silence.

La technologie médicale a éliminé de nombreuses maladies infantiles et permis un accroissement marqué de la longévité. À 35 ans, un homme ou une femme de notre société peut très bien n'avoir jamais perdu un être cher et proche par la mort. Ajoutez à cela que notre société confine la mort à des endroits isolés comme l'hôpital, l'hospice, le foyer de vieillards, et vous avez produit un autre obstacle à la guérison du chagrin.

D'autre part, les morts soudaines et violentes ont toujours existé mais aujourd'hui, elles reçoivent plus de publicité. Le suicide a augmenté avec la prise des drogues et le divorce qui sont montés en flèche. Si un jeune croit que l'on peut vivre heureux dans l'au-delà sans son corps, il pourra être tenté quand il souffre, d'échapper à sa solitude présente en pensant qu'une fois mort, il jouira d'un bonheur instantané et parfait. Dans de nombreuses parties du monde, les fusillades et les tueries de masse sont quotidiennes et le nombre des morts tragiques ne fait qu'augmenter.

Bien sûr, tout cela rend le chagrin immensément douloureux.

La mort des tout-petits et la mort des parents
de jeunes enfants sont incompréhensibles. Dans ces
cas-là, les survivants souffrent plus intensément que
lorsque la mort survient chez une personne âgée.

La sécularisation de notre société occidentale a
entraîné l'augmentation des chagrins non guéris.
Croire en Dieu, c'est entretenir avec Lui une relation
intime : On Lui parle, on s'adresse à Lui, on sent Sa
présence. Cela permet de conserver le sens de sa valeur
et son but dans la vie même si l'on passe par des expériences douloureuses : divorce, mortalité, accident,
maladie, chômage, rejet, rupture.

Ceux qui ont une confiance profonde en Dieu
peuvent être ébranlés quand ils font face à une perte
tragique mais cela est temporaire, et ils retrouvent
généralement leur courage plus rapidement que ceux
qui ont de Dieu une fausse conception. En fait, si quelqu'un considère Dieu comme un propriétaire absent
qui a mis le monde en marche et depuis ne s'en soucie
absolument plus, il lui sera impossible d'imaginer qu'un
tel Dieu est intéressé dans son chagrin. Ou encore, si
quelqu'un pense que Dieu ne peut pas permettre que
des mauvaises choses arrivent à de bonnes gens, il se
sentira trahi quand le malheur le frappera. De
nombreuses personnes ont de Dieu une idée enfantine
et ne l'ont jamais révisée avec maturité. Le chagrin est
toujours plus compliqué dès que nous ne sommes pas
prêts à jeter un regard neuf sur nos concepts de Dieu.

La personne chagrinée qui voit Dieu comme un Ami est fortunée. Elle peut entreprendre la restructuration de sa vie après la perte d'un être aimé en s'appuyant sur Lui et en comptant sur Son soutien puissant.

Peu d'Occidentaux ont des amis véritables. On leur a appris à ne compter que sur eux-mêmes et à considérer les autres comme des rivaux. Il est certes agréable d'avoir une relation verticale avec Dieu mais nous avons tous besoin de relations horizontales aussi, et tout particulièrement en période de crise. La multitude infinie des groupes de soutien pour toutes sortes de choses et de situations dans la société américaine par exemple, est un triste témoignage du manque de dialogue au niveau des familles. Les amis... c'est important, car l'amitié développée tranquillement au cours des années tisse des liens permanents. Et ce sont ces petits groupes naturels qui sont une véritable source de soutien essentiel pour permettre l'ajustement nécessaire à la suite d'une perte.

Pourquoi est-ce si dur le chagrin ? Notre société n'a plus de rituel de la souffrance. On ne sait plus comment agir quand elle survient. La famille, l'église, notre environnement ne parlent plus à nos esprits aliénés. Quelles sont vos raisons personnelles et que pouvez-vous y faire ?

QUELQUES EXERCICES UTILES

1) Énumérez les coutumes dans votre culture et dans votre famille qui empêchent votre ajustement à vos pertes.

2) Faites un schéma pour établir quelles sont les personnes sur lesquelles vous pourriez compter. Inscrivez le nom de chacune d'elles et le genre de lien qui vous unit (parent, ami, connaissance). Encerclez le nom de celles qui sont les plus proches de vous. Êtes-vous satisfait(e) de votre système de soutien? Y-a-t-il place à l'amélioration?

3) Examinez la liste de vos pertes. Sélectionnez les deux pertes qui ont été les plus difficiles. Pourquoi ont-elles été si pénibles pour vous?

3

L'analyse
spectrale
du chagrin

L e chagrin est le résultat normal et naturel
d'une perte. Il n'y a pas de petites et de
grandes pertes. Il y a une multiplicité de pertes et
chacune peut faire très mal.

Je me rappelle ce vieux fermier qui devait entrer
à l'hôpital pour se faire opérer. Il n'avait jamais été
hospitalisé de sa vie. Le médecin lui avait dit comment
cette opération l'affecterait et qu'elle limiterait, pour
un temps au moins, ses activités. Il me dit en pleurant:

« Je ne sais vraiment pas comment je vais pouvoir me séparer d'elle. »

J'eus le cœur bouleversé de voir son chagrin et
pensai qu'il parlait probablement de sa femme, peut-
être invalide, qu'il devrait placer dans un centre de

soins prolongés. Cherchant à en savoir plus, je le questionnai habilement et je découvris que c'était sa truie de 250 kg qu'il devait vendre. Pour la soigner, il levait des seaux très lourds et les passait par-dessus la palissade dans son enclos. Une fois opéré, il ne pourrait plus le faire. Pour ce fermier, dire au revoir à sa vieille truie constituait une perte majeure.

« Vous pouvez croire que je suis un vieux fou de pleurer comme ça pour un animal, me dit-il, mais cela fait longtemps que je l'ai. »

Cette truie faisait partie de sa vie et son chagrin était sincère et profond. La plupart des parents n'ont-ils pas à raconter une ou deux histoires qui décrivent le chagrin profond que la mort d'animaux familiers a causé à leurs enfants ? Pour l'enfant qui y était attaché, la mort de son animal familier constitue souvent un véritable traumatisme.

Mes petites-filles avaient 2 et 5 ans quand leurs parents ont déménagé dans leur nouvelle maison à la campagne. Un beau matin, elles trouvèrent trois chatons déposés au bout de l'allée par un inconnu. Immédiatement, elles les adoptèrent et me consultèrent sur le meilleur nom à leur donner. Elles passèrent des heures à les dorloter. Peu de temps après cette adoption, la famille fit un petit voyage. À leur retour, mes petites-filles apprirent qu'un énorme chien berger avait emporté un des petits chats qui s'était échappé du garage pendant la nuit. Elles eurent le cœur brisé. Pendant des jours, elles allèrent dans le bois lui porter de la nourriture et l'appeler avec tristesse : « Chaton,

chaton, où es-tu ? » Mais point de réponse. Leur ami n'entendit jamais leur appel.

Quelques mois après la perte de leur petit chat, je leur rendis visite. Nous nous sommes promenés dans le bois à la recherche d'oiseaux et de fleurs sauvages. Je prenais note de ce que l'on voyait et l'on s'assit bientôt sur un énorme tronc d'arbre pour parler de la perte de leur ami. Je pouvais encore entendre de la tristesse dans leur voix.

C'est malheureux à dire mais, dès la naissance, l'homme subit une perte, la perte de sa place chaude juste là sous le cœur de sa mère où il était nourri par le cordon ombilical et bercé dans le liquide amniotique. Il émerge dans un monde éblouissant où il doit pleurer pour être nourri et pleurer pour être bercé.

Puis encore petit enfant, l'être humain perd le privilège de rester à la maison toute la journée avec ses parents. Beaucoup d'enfants sont réveillés tôt le matin et conduits souvent sans ménagement à une garderie sinistre où pendant 8 heures, ils auront peu de chance d'avoir le moindre contact affectueux avec une personne soucieuse de leur bien-être émotionnel.

Un jour, alors que j'attendais l'ouverture d'une salle de conférence, j'ai pu observer, assis dans ma voiture, les allées et venues d'une garderie. J'ai vu des douzaines de parents « livrer » leurs bébés et leurs bambins. Chaque enfant, presque sans exception, criait avec frayeur et s'accrochait à son parent qui se dépêchait de repartir. L'anxiété de ces enfants alors qu'ils étaient séparés de leurs parents me hante encore chaque fois que je passe devant une garderie.

Les adolescents perdent leur identité. Ils ne sont plus des enfants, dit-on, mais ils ne sont pas encore des adultes. Ils veulent être indépendants mais ils ont encore besoin qu'on leur fournisse des repas chauds et un lit propre. Ils subissent constamment des hauts et des bas émotionnels épuisants. À la recherche d'un sentiment d'appartenance, beaucoup d'entre eux perdent leur innocence prématurément.

Lorsque survient la vingtaine, les jeunes perdent le foyer parental. Ils ne sont plus sans soucis. Il faut qu'ils travaillent pour payer leur loyer.

L'âge moyen arrive toujours trop vite. Tous ces grands rêves sont à peine accomplis et la moitié de la vie a déjà passé! La perte d'un rêve est une perte bouleversante.

Puis, on perd peu à peu ses forces physiques et ses capacités mentales. Penser et bouger vite n'est plus très facile. Les maladies chroniques de l'âge s'installent.

Il existe au moins trois grandes catégories de pertes:

- les pertes liées à la maturité;
- les pertes liées aux situations;
- les pertes accidentelles.

Les pertes liées à la maturité

Une enfant de 4 ans ressent une perte lorsque sa maman ramène à la maison un nouveau bébé. Elle a perdu sa place d'enfant unique et pour elle, c'est dramatique.

Une jeune mariée peut ressentir ce genre de perte alors qu'elle quitte la maison de ses parents. Pour notre voyage de noces, j'ai amené ma femme dans une petite maison de bois rond sur le bord de la mer. Le matin de notre premier jour de mariage, j'ai préparé le petit déjeuner. Alors que je l'appelais : « Viens chérie, c'est prêt », je n'eus aucune réponse. J'allai dans la chambre à coucher et je la trouvai pleurant dans son oreiller. Elle venait de réaliser que se marier signifiait quitter la maison de ses parents. Elle avait de la nostalgie. Elle avait un chagrin.

Les pertes liées à la maturité sont constantes et surviennent tout au long de la vie : On quitte la maison de ses parents ; puis à leur tour, nos enfants quittent notre maison ; puis on quitte soi-même sa propre maison pour se retrouver dans un petit appartement pour personnes âgées. Bien sûr, dans ces pertes il faut inclure la perte de nos vieux parents, de notre vieux conjoint et de notre indépendance.

Les pertes liées aux situations

On doit se séparer d'un animal favori parce qu'on déménage ; les affaires s'écroulent parce qu'il y a une récession ; on est mis à la porte ou on perd son emploi : Tout cela entraîne des pertes qui entraînent des pertes secondaires. Par exemple, un jeune homme est renvoyé de son travail parce qu'il a mal travaillé. Il l'accepte et décide de se réformer. Il trouve un nouvel emploi et voilà qu'on le remercie de ses services parce que le travail a ralenti et qu'il n'a pas d'ancienneté. La perte secondaire à la perte de son travail est l'écrasement (ou la perte) de son estime personnelle, ce qui l'amène à tomber en dépression.

Les perte accidentelles

La perte tragique et/ou soudaine d'un être aimé, la perte d'un membre ou d'une fonction vitale (cécité, surdité, impuissance, etc.) à la suite d'un accident ou d'une maladie, la destruction de ses biens par le feu, une inondation ou une tornade sont des exemples de pertes accidentelles.

Toutes les pertes que nous subissons ont tendance à nous immobiliser pour un temps plus ou moins long parce qu'il n'y a aucune perte que nous puissions subir sur cette terre qui concorde avec le plan de notre vie. Perdre est toujours contraire à nos attentes profondes.

Le divorce

Le divorce est une perte accidentelle terrible. Les divorcés qui suivent mes conférences sur la guérison du chagrin me disent très souvent qu'ils ont grandi avec le rêve qu'ils rencontreraient une personne idéale qui deviendrait leur compagnon pour toujours et qu'ils s'aimeraient jusqu'à la mort. Ils imaginaient tous que leur conjoint était fidèle et totalement satisfait de leur mariage. Puis un jour, l'horrible nouvelle éclate et c'est une histoire de vœux brisés, de rêves écroulés.

Le divorce ne faisait pas partie de leurs prévisions et c'est pourquoi ils utilisent des tactiques de dénégation et nourrissent de faux espoirs. Les divorcés investissent souvent une énergie phénoménale à imaginer des moyens de réconciliation qui, très souvent, ne sont même pas logiques. La perte d'un conjoint va à l'encontre de tout ce qu'ils considèrent juste et noble.

Certains divorcés, au simple mot « célibataire », éprouvent le frisson. Ils n'ont pas de difficulté à appliquer cette étiquette aux autres mais ils n'arrivent pas à se visualiser ainsi et refusent de se nommer eux-mêmes comme étant maintenant célibataires.

Lorsqu'ils arrivent enfin à mes conférences, de nombreux divorcés ont déjà consulté une demi-douzaine de spécialistes dans leur quête de quelqu'un qui pourrait leur donner une formule magique pour réparer les relations brisées. Ils ont avalé des bouteilles de tranquillisants et perdu ou gagné plusieurs kilos car manger est un mécanisme de fuite de la réalité important. Ils n'arrivent pas à supporter cette perte qui est contraire à ce qu'ils espéraient pour leur vie.

Une perte par un divorce est dévastatrice surtout lorsqu'elle amène une personne à dire et croire que quelque chose ne va pas avec elle ; qu'elle est laide et incapable d'attirer et garder quelqu'un ; qu'elle est condamnée à passer le reste de sa vie seule et que même si quelqu'un d'autre se présentait, elle ne pourrait plus jamais lui faire autant confiance.

Pour ceux qui n'ont pas de plan précis pour leur existence, la survenue d'une perte est comme une inondation. Une personne m'a un jour donné sa philosophie de vie : Chacun devrait avoir un plan qui dure plus longtemps que lui, s'enthousiasmer pour ce plan et mettre tout en œuvre pour l'accomplir. Alors, quand une perte surviendra, il ne sera pas paralysé, immobilisé, terrassé. L'accomplissement de son plan le forcera à se relever et à continuer. On ne peut pas vivre sans buts qui soient plus grands, plus nobles, plus forts que soi. On ne peut pas vivre seul non plus… Si j'ai à nager dans des eaux profondes, je ne veux pas être seul, car si je manque d'endurance, mes chances d'être ramené sur la berge seront beaucoup plus grandes. Je devrais aussi veiller, pour mettre toutes les chances de mon côté, à nager avec de bons nageurs, des nageurs expérimentés.

Il faut commencer par l'accepter : Les pertes font partie intégrante de la vie. Il est sage d'acquérir le plus rapidement possible les forces et les mécanismes de défense qui nous permettront de maximiser nos chances de transformer nos pertes en gains.

J'ai rencontré une femme qui a réussi ce miracle. Elle était résidente permanente d'un hospice pour vieillards. Moi, j'étais un aumônier novice avec dans ma tête une série de phrases réconfortantes à partager avec des personnes infortunées comme Mabel.

L'infirmière l'appela pour savoir si elle était prête à me recevoir. J'entendis sa réponse sur le système intercom : « Bien sûr ! »

Dès que j'arrivai à sa chambre, elle s'exclama :

« Oh ! que je suis heureuse que vous soyez venu me voir. J'avais tellement hâte de montrer mes magnifiques roses à quelqu'un. On vient juste de tapisser ma chambre. Je trouve que ces roses sont absolument superbes. Avec le soleil qui inonde ma pièce, on dirait que je suis dans une roseraie. »

Je n'avais pas remarqué les roses sur sa tapisserie car j'étais bouleversé par les yeux aveugles de Mabel. Le diabète avait fait ses ravages.

« Vous ne saurez jamais combien je suis heureuse d'être ici, continua Mable. Savez-vous quoi ? Il y a dans cette institution certaines personnes qui sont tellement déprimées qu'il n'y a pas de mots pour les décrire. Si ce n'était pas de moi, elles n'auraient aucun espoir. Tous les jours, je vais les visiter dans leur chambre et je les déride. »

Mes yeux suivaient le contour de son corps sous les couvertures. Juste à la hauteur des hanches, la couverture tombait à plat sur le matelas : Mabel n'avait pas de jambes !

L'infirmière me dit plus tard que l'on plaçait tous les jours Mabel dans une chaise spéciale et qu'on la roulait dans les chambres des résidents. Elle était l'ange de ce lieu.

Je me sentis comme un nain en présence de ce géant spirituel. En dépit de ses pertes monumentales, les atouts de Mabel lui avaient permis de s'élever au-dessus d'elles.

J'en suis encore à découvrir ses secrets. Il est possible qu'une telle découverte ne puisse se faire qu'en présence d'une perte, mais je soupçonne que Mabel avait fait cette découverte longtemps avant qu'elle n'aille à l'hospice.

L'analyse spectrale du chagrin n'est pas complète tant que l'on n'explore pas les pertes secondaires ou abstraites qui surviennent à la suite de pertes primaires. Il faut prendre la peine d'identifier et de cerner la réalité de ces pertes secondaires si l'on veut éviter les complications du chagrin.

On appelle ces pertes secondaires des pertes psychologiques. Voici quelques exemples :

- Un homme est marié à une musicienne de grand talent. Il a l'habitude d'assister aux concerts de sa femme et cela gonfle énormément son ego. Après son divorce, il ne peut plus jouir de ce survoltage régulier. Peu à peu, il se met à se détester lui-même et perd confiance dans sa capacité de créer de nouvelles relations.

- Un homme a perdu sa liberté après avoir conclu une affaire frauduleuse, mais il a aussi perdu sa réputation.

- Un homme a pris sa retraite. Il a perdu son travail mais aussi le sentiment d'accomplir quelque chose.

Que la perte soit primaire ou secondaire, elle peut être déclenchée par de nombreuses sortes de pertes. Aucune perte ne doit être minimisée. Chaque perte cause une souffrance et entraîne un chagrin.

QUELQUES EXERCICES UTILES

1) Reprenez la liste chronologique de vos pertes et classez-les sous un ou plusieurs titres :

   – pertes liées à la maturité ;

   – pertes liées aux situations ;

   – pertes accidentelles.

   On pourrait ajouter à ces pertes :

   – les pertes intentionnelles.

2) Pensez à votre perte la plus récente. Déterminez quelles sont les pertes secondaires qu'elle a entraînées.

4

Prêt ou pas, le chagrin vient

« Peu importe que vous vous y attendiez ou pas, vous n'êtes jamais prêt lorsque cela arrive. »

« Ça fait mal, même si nous avons eu le temps de faire la plupart des choses que nous voulions. »

« Elle a vécu une vie bien remplie mais elle a beaucoup souffert. Je devrais être heureux qu'elle puisse enfin se reposer, mais je déteste avoir à lui dire au revoir. »

« Nous savions tous les deux à quoi nous en tenir. Le docteur nous avait dit exactement de quoi il s'agissait. Nous en avions parlé mais je ne pensais pas que ça serait aujourd'hui. »

Voilà un échantillonnage de ce que les gens peuvent dire juste après la mort d'un être aimé. Un président d'entreprise lors d'une conférence sur la pré-retraite m'a demandé : « Peut-on jamais être prêt pour la mort de quelqu'un qui compte beaucoup pour nous ? » La réponse honnête est probablement « jamais complètement » car la mort, c'est un peu comme un jeu de cache-cache : « Prêt, pas prêt, j'y vais ! »

C'est normal ! Lorsque deux personnes ont établi entre elles une relation satisfaisante, tout ce qu'elles désirent c'est l'approfondir de plus en plus et atteindre son plein potentiel. Cela semble être une aspiration qui a été infusée dans la race humaine. Le plan de notre Créateur était que nous vivions éternellement afin de constamment élargir et enrichir chacune des dimensions de notre vie.

La mort est une ennemie qui a temporairement interrompu ce plan. Mais, malgré la réalité universelle et implacable de la mort, tout le monde ou presque a l'intention de vivre et de faire plus que ce qu'il lui sera jamais possible de faire dans sa vie.

Un homme qui savait que sa femme allait mourir m'a confié :

« Lorsque le docteur nous a dit que Mary n'avait plus que 6 à 9 mois à vivre, nous avons décidé sur le champ que nous mettrions 6 à 9 années de vie dans ces 6 à 9 mois de survie. »

On ne sera jamais « complètement » prêt pour la mort d'un être cher mais il existe quelques concepts simples qui, mis en pratique, faciliteront notre acceptation et notre ajustement à son absence. Laissez-moi les partager avec vous.

1. Permettez aux gens que vous aimez de vous connaître vraiment.

Un homme est venu me consulter car il n'arrivait pas à surmonter la mort de sa femme. Luttant contre ses larmes, il me dit:

«Je ne lui ai jamais vraiment laisser voir ce que je ressentais. Elle n'a jamais su qui j'étais. J'étais du genre plutôt tranquille. Oh! elle a bien essayé de me faire dire ce que je pensais, mais j'ai toujours eu de la difficulté à m'exprimer.»

Certes, ce n'est pas une chose facile que de laisser quelqu'un d'autre lire nos pensées et connaître nos motivations profondes. Laisser tomber son masque, devenir transparent n'est pas un jeu d'enfant. C'est un devoir que l'on a envers nos proches. Avoir eu le privilège de savoir qui était vraiment la personne qui maintenant n'est plus facilite énormément le deuil et accélère la guérison du chagrin.

Un des privilèges d'une famille est de pouvoir parler cœur à cœur des intérêts, des joies et des peines de chacun de ses membres. Il n'y a aucune raison de ne pas discuter ouvertement des philosophies que l'on a de la vie, des sentiments que l'on ressent face à la douleur, la maladie et la mort et même des préférences personnelles que l'on aurait d'être informé de sa propre maladie et de sa mort imminente.

Cette honnêteté par rapport à tous les aspects de la vie éliminerait les tristes jeux qui se jouent si souvent dans les familles en période de crise par la conspiration du silence.

Une dame m'a un jour demandé si je pouvais visiter ses parents dans une ville éloignée. Sa mère était à l'hôpital où elle avait subi une opération qui avait révélé un cancer inopérable. Je devais visiter le couple à l'hôpital même.

J'arrivai à sa chambre à l'heure du repas. Le mari, Jim, était parti à la cafétéria pour prendre une bouchée. J'allai à sa recherche mais il ne mangeait pas. Il était assis au bout d'une table, tout seul, et semblait perdu dans ses pensées. Après les présentations, j'entrai péniblement dans le cœur du sujet.

« Jim, avez-vous parlé avec Létha de son cancer, des traitements et de la possibilité de la mort ?

– Pas trop, soupira-t-il. Je crois que tous les deux, nous évitons plus ou moins le sujet. Il va falloir en parler bientôt. Mais j'ai peur que cela ne lui fasse pas de bien.

– Peut-être, suggérai-je, qu'il n'est pas bon pour elle de garder tout ça à l'intérieur et bien sûr, ce n'est pas bon pour vous non plus.

– Vous avez probablement raison, me répondit-il en essayant de refouler ses larmes.

– Cela serait plus facile si nous en parlions tous les trois, lui proposai-je. »

Jim acquiesça vivement et nous nous dirigeâmes vers l'ascenseur. À la chambre, je mis immédiatement la conversation sur le sujet en demandant des renseignements sur l'opération et sur ce que le médecin avait dit.

Létha parut très empressée d'accepter mon invitation à parler devant Jim. Elle me fit penser à un torrent qui se déverse dans une vallée après qu'un barrage se soit rompu. Elle parla de sa peur et de sa peine pour son mari. Cela permit à Jim de raconter les souvenirs de leur vie à deux et finalement d'avouer qu'il lui était insupportable de penser à la mort de Létha. Peu à peu, les grandes vagues de leur douleur se calmèrent et les deux furent prêts à parler des traitements.

À la fin de la visite, Jim me raccompagna à la sortie de l'hôpital. Il prit ma main dans ses mains et me dit :

« Lawrence, je vous remercie infiniment d'être venu jusqu'ici de si loin. Je ne pourrai jamais vous rendre cela mais laissez-moi vous dire que vous avez permis l'ouverture d'un dialogue magnifique entre Létha et moi. Je suis sûr que cela est pour vous une récompense en soi. Il y a maintenant une intimité qui aurait dû être là bien avant. Merci, merci beaucoup. »

Jim avait raison. Il ne faudrait pas attendre qu'une crise fonde sur les membres de la famille pour que l'on arrive enfin à s'ouvrir le cœur.

2. Acceptez que vous avez de la valeur.

Ce concept est étroitement relié au premier. Tant que vous ne serez pas fier de vous, vous ne serez pas à l'aise avec l'idée que l'on puisse savoir qui vous êtes vraiment.

J'ai déjà mentionné qu'une perte majeure entraîne très souvent une diminution de l'estime que l'on se porte. Retrouver son estime est plus facile si, avant la perte, on avait une bonne opinion de soi.

3. Prenez le temps de construire votre être intérieur.

Un exemple classique de ce troisième concept était cette femme veuve depuis six ans et qui fut, alors que j'étais un jeune aumônier inexpérimenté, mon réconfort en période de chagrin. Je pouvais venir lui raconter mes déboires, tous plus ou moins causés par ma faute – j'étais tellement sûr de moi ! – mais cela ne la dérangeait nullement. Elle m'offrait un verre de jus bien froid et m'accordait tout son temps pour écouter mes plaintes.

Elle savait écouter, mais mieux, elle savait montrer de l'intérêt réel dans tout. Elle lisait énormément et l'on pouvait discuter avec elle d'à peu près n'importe quoi. Cela faisait des années qu'elle cultivait son être intérieur. Il y avait sur la table de sa salle à manger des piles de lettres en provenance du monde entier. Ses murs étaient tapissés de ses travaux à l'aiguille et de ses œuvres artisanales.

À la mort de son mari, elle avait connu la douleur et la souffrance habituelles mais assez facilement, elle s'était réajustée à sa nouvelle vie. Vous voyez, les intérêts qu'elle avait étaient proprement les siens. Ils n'étaient pas confondus avec ceux de son mari. Elle était une personne à part entière. Il y avait en elle tant de choses qui ne pouvaient pas mourir à la mort de son mari…

4. Apprenez à vous débrouiller.

Après le décès ou le départ d'un être cher sur lequel on a toujours compté pour les moindres choses, il est facile, lorsque l'on a du chagrin, d'avoir l'impression de s'embourber dans des responsabilités qui nous sont étrangères puis de faire de l'anxiété.

On pourrait éviter une bonne partie de ces soucis si l'on décidait délibérément d'apprendre à être débrouillard *avant* qu'une perte ne survienne.

Combien d'hommes ont aveuglément confié à leur femme le soin de diriger leurs finances et de préparer leur nourriture. Devenus veufs, ils sont complètement perdus.

Je me souviens d'Alex. J'avais l'habitude de le voir, alors que je passais régulièrement devant sa petite maison, assis sur sa galerie. Je remarquai un jour une pancarte accrochée à la clôture. Elle disait: « Petits chats à donner ». Piqué par la curiosité, je m'arrêtai pour faire sa connaissance.

La femme d'Alex était morte depuis plusieurs années. Il avait toujours compté sur elle pour absolument tout. Son unique acte d'indépendance avait été d'aller travailler chaque matin, mais cela n'était plus qu'un souvenir.

Maintenant, sa fille était sa seule ressource. Elle nettoyait sa maison, lui apportait des repas chauds et prenait soin de toutes ses affaires financières.

Le vieil homme avait un jour résolu que dorénavant il irait à l'église. C'était la première décision qu'il prenait depuis des années. Cela lui causa cependant un problème. Sa fille tenait les cordons de sa bourse et elle eut peur que son père ne soit trop généreux à la quête. Elle le menaça:

« Si tu vas à l'église, tu t'occuperas de tes repas tout seul et tu feras aussi ton ménage. »

Alex n'est jamais allé à l'église. À ma connaissance, il n'a jamais guéri non plus de la mort de sa femme. Avec un petit peu plus d'indépendance, il aurait pu réapprendre à vivre et connaître une vieillesse satisfaisante.

5. Prenez le temps de faire des choses ensemble.

Un de mes amis avait promis à sa femme d'aller en Floride avec elle. Pendant sept années consécutives, il lui avait répété sa promesse sans toutefois la tenir car il était trop occupé. Sa femme tomba malade et mourut après un an d'hospitalisations répétées. Je vous assure qu'il fut rongé de remords.

Jouer, rire, s'amuser ensemble est indispensable si l'on veut avoir le moins de regrets possible après la perte d'un être cher et retrouver le goût de vivre.

J'ai observé de très nombreuses personnes chagrinées. J'ai acquis la conviction que celles qui ont vécu le plus intensément, qui ont donné le plus d'amour et de tendresse, qui ont su le mieux manifester leur appréciation sont aussi celles qui guérissent le mieux de leur chagrin.

6. Soyez réaliste dans vos attentes.

Le vie n'est pas facile! Nous ne sommes pas vaccinés contre la maladie, les accidents, les ruptures, les séparations, les peines d'amour, les pertes et la mort. Un mari et sa femme ne vont pas nécessairement vivre ensemble, en bonne santé, jusqu'à 85 ans. Ils auront fort probablement à subir des déficiences physiques et émotionnelles en chemin.

Je me rappelle encore ma surprise lorsque je me suis aperçu que ma vision s'embrouillait. Je suis allé voir un opticien qui m'a tout bonnement dit que c'était simplement l'effet du vieillissement. Je n'y avais jamais pensé! Je parlai à mes amis de mon problème: Ils se sont mis à rire! Tous avaient la vue embrouillée. Pourquoi aurais-je dû être une exception?

Une femme a été bouleversée que son mari fasse une crise d'apoplexie car il ne pourrait plus jamais conduire. Ils avaient planifié de voyager dix mois par année et de passer deux mois dans une petite maison à la campagne. Maintenant, tout ce qu'elle voyait devant elle, c'était des années de visite à son mari alité dans un foyer pour personnes âgées. Elle venait de découvrir que la vie ne donne pas de garantie inconditionnelle.

« Et ils furent heureux pour toujours... » est une formule agréable à entendre mais elle n'est pas réaliste. Pourtant, comprendre que la vie est périlleuse faciliterait l'acceptation de ses mauvais coups.

7. Vivez chaque jour de tout votre cœur.

Vivez avec enthousiasme. Prenez le temps de voir les gens avec qui vous vivez et de les apprécier. Que chaque jour compte. Ne perdez pas un instant à ressasser le passé ! Prenez la décision inébranlable que vous n'entretiendrez pas de vains regrets. (J'aurais dû faire ceci ou cela.) Vous avez fait ce que vous pouviez avec ce que vous saviez. Hier n'est plus et demain est encore tout neuf. À chaque jour suffit sa peine.

8. Sachez à quoi vous attendre.

De nombreuses personnes qui ont suivi mes cours sur le chagrin m'ont dit par la suite :

« Savoir à quoi m'attendre lors d'une perte m'a énormément aidé à supporter ma douleur. »

Êtes-vous prêt pour une perte ? Certainement pas complètement, mais apprendre ce qu'est le chagrin permet de limiter la surprise et la peur.

QUELQUES EXERCICES UTILES

1) Écrivez quels sont vos rêves présentement. Une perte soudaine pourrait-elle les détruire ? Est-il possible de modifier vos rêves de manière à ce qu'ils ne soient pas autant menacés ?

2) Examinez la relation que vous avez avec le membre de votre famille le plus proche de vous. Quelles parties de cette relation pourraient vous aider à vous ajuster à la perte de cette personne ? Qu'aimeriez-vous changer ? Pensez à ce que vous pourriez faire pour réaliser ces changements.

5

L'anatomie
du chagrin

En face de mon église, il y avait un foyer pour personnes âgées. Je décidai un jour d'aller visiter ses résidents. Je suis heureux de l'avoir fait car cela m'a permis de rencontrer Mr Haskins. Il s'activait dans sa cuisine quand je sonnai à sa porte. Il me dit de m'asseoir et retourna à ses casseroles.

« Excusez-moi, me cria-t-il de son fourneau, je ne veux pas être impoli, mais il faut que je surveille mes œufs. Il ne faut pas qu'ils brûlent. Je ne suis pas vraiment un cuisinier-expert car je n'ai jamais eu à faire cela auparavant. »

J'entendis un bruit de plats et d'ustensiles qui couvrit sa voix. Finalement, Mr Haskins arriva au salon en portant sur un plateau un repas chaud. Il plaça le plateau sur la table du salon, approcha une chaise berçante et s'assit. Puis il baissa la tête avec révérence, fit sa prière et se mit à manger.

« Vous devez penser que je suis bizarre de manger dans le salon. Peut-être que vous comprendrez mieux si je vous dis que ma femme est morte il n'y a pas longtemps. Pendant 40 ans, je me suis assis dans la cuisine pour manger avec elle mes repas. Maintenant qu'elle est partie, je ne supporte plus de manger là. Cela me rappelle trop de souvenirs. Ça ne sera plus jamais pareil », me dit-il en sanglotant.

En écoutant Mr Haskins, je réalisai que toute sa vie était embrouillée. Il avait perdu son équilibre. Privé de sa femme, il lui semblait qu'il n'avait plus de raison pour vivre un seul jour de plus. Il mangeait mais rien ne goûtait bon. Il essayait de dormir mais le sommeil ne venait pas. Le jour, il s'assoupissait dans sa chaise mais il se réveillait en sursaut car il rêvait à sa femme. Il n'avait personne avec qui parler. Une fois, de temps en temps, une infirmière responsable venait le visiter mais d'une fois à l'autre, elle changeait. La seule personne avec qui il était à l'aise était morte et sa vie était vide.

Des milliers de personnes comme Mr Haskins sont endeuillées. Certaines savent à peu près à quoi s'attendre mais la majorité entre dans le chagrin sans savoir ce que c'est. Elles ont peur et craignent de perdre leur santé mentale.

Si vous en êtes là, laissez-moi vous dire que le chagrin est une réaction normale et saine à une grande perte. C'est un effort de la personne pour retrouver son équilibre et sa santé mentale.

Il n'y a pas de chagrin-type. Il n'existe pas une seule façon d'avoir du chagrin. Chaque personne est unique et vit donc son chagrin de façon unique. Dieu aussi s'occupe de chacun de nous en particulier.

Dans un groupe de thérapie, une femme se tourna vers une autre femme et dit :

« Je crois que je ne m'en sortirai jamais. Regardez-moi, je suis en train de m'effondrer. Voilà 8 mois que John est mort et je me sens aussi mal aujourd'hui que la semaine où il est mort. Par contre, Mildred a perdu son mari en même temps que moi et elle semble ne plus souffrir. Elle est terriblement en avance sur moi. »

Rapidement, le thérapeute demanda à cette femme si elle ne faisait pas là une comparaison injuste. Après une conversation animée, les membres du groupe conclurent que le cas de ces femmes était complètement différent. En quelques minutes, ce groupe dressa alors une liste des facteurs qui influencent la nature du chagrin. Voici cette liste :

1) *L'âge de la personne qui a un chagrin.*

Les jeunes ont généralement un cercle d'amis plus large pour les aider en période de souffrance. Prendre de l'âge rétrécit ce cercle et empêche fréquemment la formation de nouvelles amitiés. Le vieillissement qui affecte souvent la santé et la maladie est une entrave à la guérison du chagrin.

Mon père n'a jamais pu accepter la mort de ma mère. Il regardait sa photo sur le mur et la suppliait de préparer son repas. Son âge et sa condition physique l'ont empêché de réinvestir dans une vie nouvelle.

2) *Les circonstances de la mort.*

Tous les membres du groupe étaient d'accord avec cette femme qui avait perdu son fils par le suicide : Son chagrin était le plus pénible qui soit. Une mort soudaine et une mort tragique sont particulièrement insupportables. La mort d'un bébé ou d'un jeune enfant est presqu'aussi pénible que la mort d'un jeune parent. Une longue maladie qui laisse la personne amaigrie ou déformée est très dure pour les survivants, surtout s'ils ont eu à s'occuper d'elle et qu'ils étaient déjà épuisés avant qu'elle meure.

Alors que j'étais aumônier dans les hôpitaux, j'ai vu des enfants dans les salles d'urgence qui avaient été écrasés ou frappés par la voiture que conduisait un de leurs parents. Ce genre de mort est tellement destructrice qu'elle met en danger la santé mentale et même la vie des parents et des grands-parents. J'ai vu des familles entières, malheureusement, se détruire ainsi.

3) *Des avertissements au préalable.*

Certaines personnes du groupe ont avoué qu'elles avaient vécu une grande partie de leur deuil avant la mort d'un être cher et que cela avait allégé leur deuil après la mort. Des avertissements antérieurs sont inutiles si la famille n'arrive pas à en profiter pour parler ouvertement avec le mourant de sa mort imminente. Le manque d'honnêteté et d'intimité dans ces cas-là produit du remords qui va inhiber le chagrin. Par contre, ceux qui ont pu investir plus de temps et plus d'amour au cours des jours ou des semaines qui ont précédé la mort de leur être cher ont eu plus de facilité à vivre leur deuil.

Pendant des années, j'ai travaillé dans des unités de soins palliatifs. J'ai remarqué que les familles qui ont perdu un être cher moins de six mois après le diagnostic fatal et celles qui l'ont perdu deux ans après semblaient avoir le plus de chagrin. Dans le deuxième cas, il s'installe dans la famille une attitude de profonde dénégation. On croit au miracle et d'une crise à l'autre, on se dit que c'est la dernière et qu'après ça tout ira mieux ; ou encore, on se dit qu'il s'en est toujours sorti et qu'à la prochaine crise, il s'en sortira encore. Les meilleures réactions se produisent quand la perte survient entre 6 et 18 mois après le diagnostic.

4) *La personnalité du survivant.*

Certaines personnes sont très dépendantes et dans leurs relations, elles s'appuient énormément et parfois complètement sur l'autre. Lorsqu'elles se retrouvent seules, elles ne sont pas préparées à porter les responsabilités qu'elles avaient évitées du vivant de leur conjoint, par exemple. Une personne à l'esprit plus indépendant, plus aventurier aura moins de difficulté à s'adapter à une nouvelle vie et à toutes les responsabilités qu'elle comporte.

5) *Les expériences de l'enfance.*

Il semble que les personnes qui ont eu une enfance difficile ou pleine de privation, ont plus de facilité à faire face aux diverses crises de la vie.

6) *La qualité de la relation avec la personne décédée.*

Aussi contradictoire que cela paraisse, quand on s'entendait bien avec la personne décédée, on a moins de chagrin que lorsqu'on était en mauvais termes avec elle. Les personnes qui s'embourbent dans leur chagrin sont très souvent des personnes qui se lamentent: «Oh! si seulement je pouvais avoir une autre chance, juste quelques mois de plus pour lui montrer que je l'aimais quand même…» ou encore «ça ne me ferait pas aussi mal si je ne l'avais pas tant détesté…»

Ainsi, chaque personne vit son chagrin à elle, à sa manière à elle. Toutefois, chaque chagrin connaît une série de réactions qui constituent des dénominateurs communs à tout chagrin. Et ces réactions s'enchaînent souvent sans rime ni raison. En voici une description:

a) La confusion. Dans mes cours, pour représenter une personne chagrinée, je dessine un grand cercle sur le tableau. À l'intérieur du cercle, je trace de nombreuses flèches pointant dans toutes les directions. Les flèches représentent les émotions contradictoires, pénibles, bouleversantes, opposées qui l'étreignent. Sur le sommet du cercle, j'écris le mot CONFUSION.

La femme de Ben se plaignait depuis des semaines d'être très fatiguée mais elle pensait que c'était parce qu'elle manquait de sommeil. Un soir, alors que toute la famille regardait la télévision, elle se courba et tomba lourdement de sa chaise. Elle était morte subitement d'une attaque de cœur massive.

Ben prit les trois jours de congé alloués par sa compagnie pour les funérailles. Son retour au travail a été un exemple classique de la confusion mentale que connaît une personne chagrinée. Ben, qui était contremaître, réunit les 30 employés sous ses ordres pour établir le programme de la journée. Mais il resta là debout au milieu de la pièce, essayant d'ouvrir la bouche, incapable de prononcer un seul mot. Il semblait être en transe. Après 5 minutes, un directeur remarqua son problème, le conduisit hors de la pièce et lui recommanda d'aller consulter le médecin de la compagnie.

Celui-ci lui prescrivit un tranquillisant et lui donna congé pour la journée. Ben vint alors me visiter et me dit son incapacité à se concentrer, à se souvenir, à organiser ses pensées. Il me dit: «Je suis dans la confusion.»

La confusion s'exprime par le choc et la torpeur qui sont les toutes premières expériences du chagrin. Certains auteurs reconnaissent que l'état de choc peut durer de deux heures à deux jours, mais j'ai personnellement rencontré des individus qui étaient dans cet état d'abasourdissement des semaines après la mort d'un être aimé et il leur était presque totalement impossible de se rappeler quoi que ce soit des événements qu'ils vivaient.

Cela me fait penser à cette femme amaigrie de 80 ans, assise dans la salle d'attente de l'urgence à l'hôpital. Le médecin était en train de lui annoncer avec beaucoup de douceur que son mari était mort. Elle restait assise là, comme s'il n'avait rien dit. Le médecin lui dit alors qu'il allait voir d'autres patients mais qu'il reviendrait si elle avait des questions à poser. D'un seul coup, elle se leva et courut après lui en lui montrant les poings. Puis rapidement, elle s'excusa et retourna à sa chaise. Elle resta assise dans le silence de son choc pendant plus d'une heure. Sa famille arriva et la conduisit dans la voiture. On aurait dit qu'elle avait été droguée.

Le choc, selon moi, est un anesthésique que Dieu permet pour empêcher que l'on meure sur le coup en apprenant la mort d'une autre personne. Le même choc survient à l'annonce d'un divorce, de la perte d'un emploi ou de la fin d'une relation amoureuse.

b) L'incrédulité. Un mécanisme de défense très courant est un refus obstiné de croire. On parle alors de dénégation. Ce mécanisme s'installe très tôt dans le processus du chagrin.

Une de mes connaissances se rendait à l'hôpital pour voir son père. Elle ne savait pas qu'il était déjà mort. On n'avait pas pu la rejoindre car cela était arrivé alors qu'elle était en route. Arrivée, elle regarda par la fenêtre dans l'unité des soins intensifs et vit la famille réunie autour du lit. L'aumônier était également là. Sa première impulsion fut de courir hors de l'hôpital pour que personne ne lui dise quoi que ce soit. Elle pensait que si on ne le lui disait pas, elle n'aurait pas besoin de le croire. Pour elle, la dénégation et le choc furent des réactions instantanées à la mort de son père.

c) La peur. De nombreuses personnes parlent d'une peur paralysante et de phobies. Elles craignent l'avenir et ont peur d'être seules. On entend aussi parler de la peur du noir.

d) La colère. Il y a aussi beaucoup de colère dans le chagrin. Les gens se mettent en colère contre les infirmières, le docteur, l'hôpital, l'aumônier, contre la personne qui est morte et même contre eux-mêmes. Fréquemment, il y a de la colère contre Dieu.

J'ai rencontré une fois une jeune mère de trois enfants qui avait subi une série de mortalités dans sa famille immédiate. Et maintenant, en plus, elle venait de perdre son plus jeune fils. Elle était terriblement en colère contre Dieu, mais les membres de son église lui disaient que de tels sentiments étaient honteux. Elle fut soulagée d'apprendre par ma bouche que Dieu était tout autant intéressé à ce qu'elle Lui parle de sa colère que de sa joie. Elle se mit alors à me parler de sa colère et elle en parla aussi à Dieu. Le résultat immédiat fut sa réconciliation avec Dieu.

e) La dépression. Quand la dénégation, la colère et le marchandage avec Dieu – on cherche à Lui soutirer des promesses – ne changent pas la situation car la perte demeure, beaucoup de personnes se réfugient dans la dépression. La dépression se manifeste par des sentiments de désespoir, d'abandon, d'accablement, de résignation, de léthargie et de recherche intense de la personne manquante. On remarque aussi la perte de l'appétit et du sommeil ainsi qu'un désintéressement pour tout, sauf pour les souvenirs de celui ou celle qui n'est plus dans sa vie. On rapporte également des maux de tête, des maux de dos, des serrements dans la poitrine. Les aliments goûtent comme du sable, il n'y a pas assez de salive pour avaler et ils provoquent des nausées. On traîne les pieds comme du plomb tellement on se sent épuisé. On n'arrive pas à se concentrer sur quoi que ce soit d'autre que la personne aimée et perdue. On n'arrive plus à organiser la moindre chose. On est complètement déréglé.

Les symptômes de la dépression les plus universels sont la tristesse – c'est certainement le premier et le plus grand des symptômes de la dépression –, l'incapacité de se concentrer et de se souvenir des choses et un dégoût pour tout ce qui était agréable avant la perte.

Les émotions et les symptômes psychosomatiques que nous venons d'énumérer font partie des réactions *normales* à une perte : mort, divorce, rupture amoureuse, accident, etc. Cette période de douleur aiguë passera si on donne à la personne le temps de se remettre et si on lui offre le soutien moral dont elle a besoin pour retrouver son équilibre.

On ne retrouve pas son équilibre d'un seul coup et le retour à l'équilibre ne ressemble pas à une ligne droite ascendante. Il y a des retours en arrière, des rechutes, particulièrement lors des anniversaires, des fêtes et des jours fériés. Mais d'une fois à l'autre, la souffrance ne se renouvelle plus aussi intensément.

Il ne faut pas fuir, il ne faut pas éviter le chagrin. Tôt ou tard, il faudra le vivre. À tous ceux qui ont perdu un être aimé par la mort, le divorce ou une rupture, à ceux qui ont à faire face à leur propre mort ou maladie, je dis : « Laissez le chagrin venir. Ce n'est pas un ennemi qu'il faut faire taire. Il ne conduit pas au désespoir mais à une nouvelle grandeur d'âme. »

QUELQUES EXERCICES UTILES

1) Sur une feuille blanche, décrivez les sentiments que vous avez eus et que vous avez encore au sujet de votre perte la plus récente. Comparez-les aux sentiments que nous avons décrits dans ce chapitre.

2) Demandez à un(e) ami(e) de vous raconter les sentiments et les réactions qu'il (ou elle) a eus lors d'une perte majeure. Comparez ses sentiments aux vôtres.

6

Les tâches
du chagrin

L'étude de la mort a entraîné depuis quelques années le développement d'une science : la thanatologie, et donné lieu à la parution de douzaines de livres pratiques sur le deuil. On a systématisé le chagrin et les fausses conceptions abondent. On parle de «phases» , «d'étapes» et de «stades» du chagrin. On mentionne assez souvent les réactions de choc, de dénégation, de colère, de peur, de marchandage, de dépression et d'acceptation finalement. Mais cette systématisation du chagrin est problématique quand elle donne l'impression que tout le monde doit passer par les «phases», une à la fois, pour vraiment guérir de son chagrin.

Je crois qu'il est moins problématique de penser aux trois tâches que les gens accomplissent généralement quand ils naviguent d'une perte récente vers un nouvel équilibre de vie.

La première tâche : *croire à son chagrin*

La première tâche du chagrin, c'est d'arriver à considérer la perte comme une réalité. Tant que cela n'est pas fait, il n'y aura aucun progrès vers la reprise de l'équilibre.

Un jour, une jeune dame qui avait entendu parler de mon travail, est entrée dans mon bureau. Sa vie entière n'avait été qu'une série de pertes sans fin. Sa perte la plus récente était la mort de sa fille adolescente. Elle était là devant moi et me disait des choses comme : « Si jamais Eddie devait mourir, je ne le supporterais pas. » Je pouvais lui parler de ses autres pertes, mais si j'essayais de lui parler de la perte d'Eddie, elle refusait d'en parler. Elle me dit de but en blanc :

« Je refuse de parler de cela. Eddie n'est pas morte et je n'en parlerai pas. »

Les gens ont mille et une façons de ne pas croire à la réalité. Je pense à plusieurs exemples :

La veuve d'un géologue me disait :

« Mon mari est de nouveau parti en voyage d'études pour trois mois. Je crois qu'il est en Afrique. Il m'arrive souvent de l'accompagner, mais cette fois-ci, cela ne me convenait pas. »

La veuve d'un ingénieur travaillait d'arrache-pied à la construction de la maison que son mari avait dessinée avant que son cancer ne soit diagnostiqué :

«Je sais qu'il sera là quand je déménagerai dans ma nouvelle maison, disait-elle. Il a tant mis de lui-même dans cette maison qu'il faut absolument qu'il soit là quand elle sera terminée.»

La mère d'un pilote lors de la Deuxième Guerre mondiale racontait:

«Personne, jamais, nulle part, ne me convaincra que mon fils est mort. Si son avion a été mitraillé, il a survécu. C'était un jeune homme tellement débrouillard. Il a trouvé des moyens pour survivre en territoire ennemi. Peut-être qu'après la guerre, il s'est installé en Europe et que maintenant, il a une famille. Nos meilleurs amis nous ont dit que nous étions fous de conserver nos espoirs, alors nous avons coupé les ponts avec eux car, vraiment, ils ne comprenaient rien.»

Un jour, vers la fin d'une thérapie, une femme nommée Karen dit:

«Je crois que je suis finalement en train de guérir.

– Qu'est-ce qui vous fait dire cela, lui demandai-je?

– Eh! bien, mon mari est mort du cancer il y a 8 mois à l'hôpital Dalton. Depuis, chaque jour, j'ai téléphoné à l'infirmière en chef de l'unité d'oncologie pour lui demander comment allait mon mari. Chaque fois, elle me rappelait très gentiment que mon mari était mort. Mais cette semaine, je n'ai pas téléphoné à l'hôpital. C'est comme ça que je sais que je suis en train de guérir.

– Y-a-t-il une raison particulière qui a fait que vous n'avez pas téléphoné cette semaine?

– Jusqu'à il y a une semaine, j'avais peur de croire à la mort de mon mari. Je n'ai pas d'amis ici en ville. C'est moi qui ramasse le loyer dans mon bloc alors je ne peux pas être amie avec mes voisins. Je suis plutôt solitaire. Mais cette thérapie a changé ma vie. Ce groupe est devenu mes amis. Je n'ai plus peur de croire que mon mari est mort parce que je sens que chacun de vous est prêt à m'aider. Je sais que je pourrai compter sur votre soutien quand la douleur me frappera finalement. »

Karen parle pour des milliers de personnes qui ont un chagrin et qui, en plus de leur peine, souffrent d'isolement. En effet, il existe peu de gens qui sont prêts à écouter la souffrance des autres à une ou à deux reprises, mais plus rares encore sont ceux qui prêtent l'oreille à la profondeur d'un chagrin jusqu'à ce qu'il soit éventré complètement. Tout le monde, ou presque, fuit dès que quelqu'un ose dire tout haut sa peine et exprimer sa colère, son amertume et son remords. Et ceux qui pleurent, pleurent tout seuls.

Dans notre société, on visite la personne en deuil aux funérailles et, à ce moment-là, elle est généralement toujours dans état de choc et de torpeur. Personne n'est donc confronté à sa douleur et il est facile pour les « consolateurs » de bavarder avec les autres « consolateurs » de la pluie et du beau temps ou encore du dernier match de football.

Visiter une personne endeuillée des mois et des années après sa perte est quelque chose de tout à fait différent. Il se peut que vous soyez maintenant le seul visiteur et il vous sera impossible d'échapper à sa peine. Souvent, vous regretterez d'être venu… C'est ainsi que les personnes qui ont perdu un être cher restent seules, et il leur est plus facile de refuser de croire qu'il est mort ou parti plutôt que de souffrir dans leur solitude.

Mais… nier une tragédie, c'est rester bloqué dans son chagrin. On ne peut pas guérir de son chagrin tant que l'on n'a pas admis la réalité. Les gens fuient la réalité et ils la fuient souvent très longtemps en se lançant dans le travail, en se mettant à voyager, en faisant du temps double, en se jetant à corps perdu dans le bénévolat, en courant toutes les fêtes et les réceptions. L'adoption soudaine d'un style de vie excitant a permis à de nombreuses personnes de se dérober à la réalité pendant des années.

D'autres individus résistent à l'absence de l'être cher en faisant tout comme s'il était encore là. Ils soupirent après lui et recherchent les impressions de sa présence. Ils investissent énormément d'énergie pour garder leur mémoire vivante et se souvenir des moindres détails. Ils parlent à l'absent, lavent et relavent ses vêtements, mettent sa place à table et font les choses exactement comme il les aurait faites lui-même. Souvent, son bureau ou sa chambre à coucher restent inchangés. Rien n'est bougé. Rien n'est dérangé.

Certes, certains de ces comportements peuvent être acceptables pendant un temps, mais s'ils se prolongent et se déforment, ils deviennent des pierres d'achoppement sur la voie de la guérison.

J'ai travaillé pendant 7 ans dans des centres de réhabilitation pour alcooliques. Dans mes conversations avec ces malades, j'avais l'habitude de prendre note des pertes qu'ils avaient connues. Dans un très grand nombre de cas, ils s'étaient mis à boire après une ou plusieurs pertes tragiques qu'ils n'avaient pas pu accepter ou régler.

Mel était un cas classique. Il me raconta son histoire en la parsemant de farces sur les buveurs mais, à cinq reprises, il me mentionna très brièvement ses pertes :

« J'avais la plus belle des petites filles : cheveux blonds, yeux bleus. L'image même du bonheur. La leucémie a bien fait son travail sur elle.

– Je n'arrive pas à croire que ma femme m'a plaqué. Je lui ai donné tout ce qu'une femme peut désirer.

– J'ai pensé que cette autre femme serait la réponse à ma souffrance. Trois mois après l'avoir mariée, elle s'est sauvée avec ma voiture et 3000 dollars.

– Je n'aurais jamais cru que mon fils s'en irait juste comme ça et sans me dire un seul mot !

– J'ai appris que mon fils s'est marié en Louisiane. Je suppose qu'il avait trop honte de son papa ivrogne pour l'inviter à son mariage... »

Mel buvait énormément pour noyer ses chagrins. Il ne voulait pas regarder leur réalité en face. Quand il se décida à le faire, il avait ruiné sa santé.

Mon chemin croise des douzaines et des douzaines de fuyards de la vie. Ils sont perdants car à fuir la réalité de ses tragédies personnelles, on provoque de terribles dévastations chez soi et chez les autres : maladies, épuisement émotionnel, mariage fracassé, famille disloquée, carrière brisée, dureté de cœur, insensibilité aux autres pour n'en nommer que quelques-unes.

La première tâche du chagrin est donc d'y croire. Il faut commencer par avouer son chagrin et pour cela il faut admettre la perte que l'on a subie : mort, divorce, maladie, accident, etc.

Je dois encore une fois revenir sur cc point : Beaucoup de gens prolongent leur incrédulité face à leur chagrin car ils vivent dans un isolement souvent profond. Nous sommes à l'âge des ordinateurs et des satellites, ce qui nous permet d'être en communication avec l'autre bout de la terre... Mais nous ne connaissons toujours pas nos voisins de palier. Notre existence sociale et émotionnelle est en banqueroute et nos besoins humains de base, année après année, ne sont pas comblés. Nous avons fait de l'indépendance une vertu et de la production une valeur et c'est ainsi que nous sommes constamment en compétition les uns avec les autres. Cette compétition acharnée est une forme de ségrégation et nous nous retrouvons seuls sur le chemin de la vie.

Un jour pourtant, nous perdons un membre de notre famille immédiate. Nous nous sentons obligé de « passer par-dessus », parce que, c'est bien sûr, si nous avions à demander de l'aide, il n'y aurait personne pour nous en donner ! Et le problème commence immédiatement car tout le monde, sans exception, a besoin de se tourner vers quelqu'un en chair et en os quand il a un chagrin. Il est indispensable pour quiconque a un chagrin, de pouvoir s'ouvrir le cœur pour révéler ses sentiments profonds. Il est essentiel de s'appuyer sur une ou plusieurs autres personnes.

Le refus de croire que la perte a eu lieu prolonge la période de choc et de torpeur et beaucoup de personnes croient ainsi qu'elles sont revenues à la normale. Elles s'étonnent elles-mêmes d'avoir si bien encaissé le coup. Elles retournent au travail et à leurs activités et semblent très bien fonctionner. Illusion ! Le chagrin n'est pas une émotion simple.

Tôt ou tard, la torpeur se dissipe et l'incrédulité est minée par les évidences irréfutables que la perte a bien eu lieu. La sensibilité retrouve alors sa place et on se sent noyé d'émotions puissantes qui donnent l'impression que l'on va tomber en pièces.

John avait réussi à maintenir sa routine de vie – pendant trois mois. Puis un jour, il ressentit ce qu'il décrivit comme étant un écrasement brutal. Il me téléphona et me dit :

« Lawrence, je ne sais pas ce qui m'arrive. Je suis rentré chez moi ce soir et la maison était pleine de monde. J'ai regardé tous mes amis et j'ai réalisé combien ma vie était vide. La personne qui avait pour moi le plus de prix est partie. Personne ne me connaît comme ma femme me connaissait… Lawrence, j'ai réalisé ce soir, tout d'un coup, que j'étais tout seul. »

La torpeur et l'engourdissement du cœur isolent des milliers de personnes de la peine qu'inflige la réalité. Un tourbillon d'activités pour régler toutes les affaires relatives à une perte ajoute à l'isolement. Mais un jour, toujours, la roue s'arrête, l'anesthésie se dissipe et l'on se retrouve face à face avec la souffrance.

La deuxième tâche : *souffrir de son chagrin*

Coincés entre le besoin d'éprouver la douleur de leur perte et l'impulsion d'y échapper, beaucoup de gens sont très fortement tentés de s'y dérober. Pour eux, fuir semble mieux que souffrir.

C'est une erreur, une immense erreur. Il faut avoir le courage de croire à son chagrin, d'accepter sa réalité. Oui, la conscience sera alors noyée d'une immense douleur mais lui fermer la porte ne fera que prolonger l'agonie. Gardez la porte ouverte. Acceptez l'attaque véhémente de votre chagrin. Permettez-moi de vous le dire : Sans souffrance, il n'y aura pas de guérison.

Oui, la deuxième tâche pour guérir de son chagrin est d'accepter de ressentir la douleur qu'il nous a causée. Personne n'aime souffrir. Il est instinctif de refuser, de rejeter, de se rebeller contre tout ce qui peut être désagréable, pénible et triste, déchirant.

« Me permettez-vous de vous faire un dessin de moi-même ? », me demanda de but en blanc Jane en entrant dans mon bureau sans rendez-vous.

C'était une parfaite étrangère mais je lui dis :

« Bien sûr, voilà du papier et un crayon. »

Les quelques minutes qui suivirent furent silencieuses. J'observai Jane dessiner une série de pics plus ou moins hauts entrecoupés de vallées plates. Elle dessina aussi une ligne perpendiculaire à travers la seconde vallée et un T à l'envers près du sommet du dernier pic qui ne se terminait pas avec une vallée plate mais se prolongeait en une ligne oblique qui dégringolait jusqu'au bas de la feuille.

« Savez-vous lire un électroencéphalogramme ? », me demanda-t-elle.

– Pas vraiment. Il va falloir que vous m'interprétiez cela.

– Ma fille de 17 ans est morte dans un accident d'auto, il y a deux semaines. Quand je l'ai su, cela m'a donné un choc profond. Cette première ligne plate représente mon choc. Mais quand je suis allée au service funèbre, ma douleur est devenue si forte que j'ai cru en mourir. Ce pic, le plus petit, est le service funèbre. Quand je suis revenue à la maison, je suis tombée dans une torpeur. C'est ce que signifie la deuxième ligne plate. Le soir après les funérailles, mes amis sont venus me voir. Ils se sont mis à parler de Sue et ma douleur est devenue si forte que je me suis enfuie dans ma chambre à coucher et j'ai verrouillé la porte. Le second pic est la douleur de cette nuit. »

Elle soupira et hésita un moment.

« Maintenant, c'est ici que je suis. Aujourd'hui, je suis à la troisième ligne plate. C'est pour cela que je peux vous parler comme ça. »

Son visage changea peu à peu. Son calme disparut et il prit une expression troublée.

« Mais, je vous avertis, n'essayez pas de m'amener à m'affliger. Si je commence à pleurer, ma douleur va aller en augmentant et en augmentant et en augmentant jusqu'à ce qu'elle m'envahisse comme une vague de l'océan. »

Avec son crayon, elle repassa sur les sommets qui restaient et s'arrêta au dernier :

« Et alors, je vais me tuer. »

Son crayon retraça le dernier pic et courut sur la dernière ligne jusqu'au bas de la page.

Que peut-on dire à une personne comme Jane ? J'étais là, interloqué, les yeux fixés sur son autoportrait lugubre. Je n'avais jamais vu *l'image* d'une émotion auparavant.

Au bout d'un certain temps, je m'aventurai à demander :

« Pourrions-nous parler de la mort de Sue ? »

Jane se mit à hurler :

« Que voulez-vous dire par « la mort » ? Si je découvre que ma Sue est morte, je vais mourir moi aussi.

– D'accord, pouvons-nous parler de vous ?

– Que voulez-vous savoir sur moi, demanda-t-elle sur un ton plus doux.

– Racontez-moi votre enfance et les points marquants de votre vie jusqu'à présent. Nous aurons à passer plusieurs séances ensemble, mais cela peut être utile. »

Je m'enfonçai dans ma chaise et attendis que Jane me parle d'elle.

Au cours des semaines qui suivirent, Jane passa en revue et pleura ses souvenirs de l'abandon de ses parents, d'abus sexuels et de rejets à répétition. Un mariage précoce à un homme alcoolique raviva sa douleur mais nous arrivâmes à en parler à fond. Elle se rappela la naissance de Sue puis me confia son angoisse de voir son bébé presque mourir de malnutrition à cause de son extrême pauvreté. Je me rendis compte que chaque facette de la vie de Jane avait été saturée de chagrin. Jane continua à parler jusqu'à ce que presque toute sa colère soit liquidée.

Un jour, nous étions à la sixième visite, elle fit la remarque que Sue était la seule personne de sa vie dont elle n'avait pas encore parlé. Puis elle ajouta :

« Je crois que je suis prête maintenant. »

Nous avons examiné sa relation avec Sue en détails. Quelle souffrance ! Que de larmes elle a versées ! Après une heure complète de confidences, Jane dit :

« Cela n'a pas été aussi pénible que je le pensais. »

Bien sûr, maintenant qu'elle avait plus ou moins guéri ses autres peines, cette dernière avait commencé à s'adoucir et à parler de Sue, Jane ne ressentit pas la douleur atroce qu'elle craignait. Nous nous sommes rencontrés encore pendant quelques semaines. Jane parlait maintenant de la vie de Sue et de sa mort plus librement. Les souvenirs remontaient à sa mémoire et elle prenait plaisir à les raconter. Jane était en train de guérir.

On doit exprimer son chagrin si l'on veut revivre. Il faut faire un peu comme les enfants font… Oui… Avez-vous remarqué comment un enfant qui s'est fait mal au parc par exemple, agit ? Il montre son bobo à ceux qui sont autour de lui mais il retient ses larmes, puis, quand un de ses parents arrive, il court vers lui et éclate en sanglots. L'enfant exprime enfin la douleur qu'il a ressentie auparavant et quel soulagement, quelle guérison !

Quand on a un chagrin, la souffrance est un signe de guérison. Sentir et exprimer sa douleur est sain et absolument nécessaire. C'est une vérité incontournable que les personnes qui ne peuvent pas ou ne veulent pas exprimer leur douleur vont y rester coincées. Leur progrès vers la guérison est arrêté.

Mélanie refusait de parler de la mort de sa fille, tuée par un maniaque. Elle avait peur de se mettre à pleurer et de ne plus pouvoir s'arrêter. Les détails de ce meurtre étaient horribles et elle les connaissait tous. Son refus de parler et d'exprimer sa douleur signifiait qu'elle était bloquée dans son chagrin. Elle était venue me voir sur la recommandation de son médecin.

« Vous devez beaucoup pleurer, suggérai-je.

– Oh ! non, répondit-elle vivement, je ne me permets pas d'y penser ni de pleurer. Je sais que si je commence, je ne m'arrêterai pas.

– Mélanie, j'ai vu des centaines de personnes pleurer et je n'en ai jamais rencontré une seule qui n'avait pas pu s'arrêter. Faites-moi confiance. Si vous pleurez avec moi, je ne vous abandonnerai pas. Je resterai près de vous jusqu'à ce que vous n'ayez plus de larmes et ensuite, nous parlerons de la vie de votre fille chérie. »

Je la conduisis dans une pièce adjacente à mon bureau où j'avais un projecteur avec un film d'une mère pleurant la mort de sa fille de 12 ans. Avec la permission de Mélanie, j'allumai le projecteur et quand elle vit la femme dans le film sangloter, elle se mit à pleurer avec elle. J'éteignis le projecteur et la reconduisis dans mon bureau. Elle plaça alors sa tête sur ma table et sanglota tant que son corps en tremblait. Je restai assis tranquillement et écoutai ses sanglots. Graduellement, ils s'apaisèrent, perdirent de leur intensité et se turent après quelques gros soupirs. Elle se redressa alors sur sa chaise et appuya sa tête contre le mur. Après quelques autres gros soupirs, je l'amenai à se souvenir de sa fille. La glace était brisée. Son chagrin avait commencé. Elle était entrée dans la profondeur de sa douleur.

Accepter sa peine et l'exprimer a toujours pour effet de l'adoucir. La douleur cuisante diminue. Peu à peu, penser à ce que l'on a perdu n'évoque plus que des souvenirs chaleureux et agréables. La personne est prête pour la troisième tâche du chagrin.

La troisième tâche : *revenir sur les lieux du chagrin*

Cette troisième tâche doit nous ramener sur les lieux où l'on a été avec la personne qui maintenant n'est plus.

Une femme travaillait dans la même compagnie que son mari. Après son divorce, il lui fut impossible d'aller au travail sans être littéralement martyrisée. Ce n'est qu'après avoir exprimé librement et pleinement sa peine qu'elle put à nouveau entrer au bureau la tête haute.

Combien de gens chagrinés se mettent à voyager, prennent un deuxième emploi ou déménagent chez des amis ou des parents pour éviter de retourner à la maison après la perte d'un conjoint ou d'un enfant. Les adolescents font des fugues ou vagabondent dans les rues pour éviter d'entrer dans une maison d'où est parti un être cher.

Chacun retourne dans un environnement familier à sa manière. On peut le faire graduellement ou abruptement. Ce qui compte, c'est d'y aller sûrement et de ne pas s'enliser.

Une veuve vivait dans la maison où elle avait vécu avec son mari toute sa vie. Elle s'y sentait bien et n'avait pas trop de problèmes sauf qu'il lui était impossible de regarder par la fenêtre le verger que son mari avait planté juste avant sa mort. Il lui arrivait souvent de hurler alors qu'elle allait de sa voiture à la maison. Le verger était resté une partie douloureuse de son environnement longtemps après qu'elle se soit adapté aux autres aspects de sa perte.

Elle décida finalement un jour de repasser dans sa mémoire toute l'histoire du verger. Elle l'écrivit dans son journal et en parla à ses amis. Un beau matin, elle fit une courte promenade parmi les arbres, toucha les branches de ses mains et raconta tout haut ce que son mari avait fait pour planter ce verger. Au bout de quelques semaines, elle avait vaincu sa peine et prenait à nouveau plaisir à marcher longuement dans son verger et à en admirer la beauté.

Si vous découvrez qu'il y a une partie de votre univers qui vous fait mal, ne vous laissez pas décourager. Ce n'est pas grave si cela vous prend du temps, ce qui compte c'est de vous mettre à vivre votre chagrin aussi intensément et rapidement que possible afin de retrouver la pleine possession de votre environnement.

La quatrième tâche : *dire au revoir à son chagrin*

Cette tâche est extrêmement importante et nous allons y consacrer un chapitre complet. Ici nous n'en donnerons que les grandes lignes.

Dire au revoir à son chagrin consiste en un lent processus qui nous amène à retirer les montagnes d'énergie émotionnelle que l'on a investi dans la relation perdue pour les réinvestir dans de nouvelles relations.

Certaines personnes appellent cela une amputation psychologique, parce qu'elles considèrent que de libérer un être aimé en lui disant au revoir provoque un choc majeur à notre personne. Par contre, il arrive qu'une amputation soit la seule façon de sauver une vie. Et cela s'applique au chagrin. L'unique façon d'être à nouveau libre de vivre d'une manière satisfaisante est de dire au revoir à la relation qui n'est plus.

Des dizaines et des dizaines d'individus qui ont fréquenté des groupes de soutien témoignent qu'ils ont dû dire au revoir avant qu'ils ne puissent se remettre à vivre vraiment. Dire au revoir ne veut pas dire que l'on met de côté ses souvenirs. Les souvenirs sont des symboles d'amour. Dire au revoir signifie tout simplement que l'on accepte qu'une relation actuelle avec une personne disparue ne peut pas être productive; que de vivre dans le passé, c'est voler à soi-même et aux autres le privilège de jouir de leur compagnie.

Il ne s'agit pas de retirer la totalité de l'énergie émotionnelle que l'on avait investie dans la relation perdue. Non, on conserve un petit investissement dans les souvenirs de la personne qui n'est plus et l'on se met à penser à elle comme à une personnes absente et non plus présente. On peut parler d'elle et se souvenir d'elle avec plaisir. Ce nouveau genre d'attachement émotionnel ne nous empêche pas de créer de nouvelles amitiés. Une fois de plus, on est libre de poursuivre une foule d'activités inhabituelles.

QUELQUES EXERCICES UTILES

1) Choisissez plusieurs pertes que vous avez déjà nommées sur la liste chronologique de vos pertes. Étudiez si vous avez accompli les quatre tâches du chagrin pour chacune d'elles. Si certaines tâches restent en suspens, écrivez ce que vous pourriez faire pour achever ce travail.

2) Pensez à une perte dans votre famille que vous avez bien acceptée. Essayez de voir si, à cette occasion-là, vous n'avez pas tout simplement accompli les quatre tâches du chagrin.

7

En route vers la guérison

Nous allons reprendre plus en détails certains concepts que nous avons touchés dans les chapitres précédents. Nous avons déjà dit que lorsqu'une personne vit une tragédie, elle est tiraillée entre le besoin de s'en affliger ou l'instinct de la nier.

Pourtant, plus on pleure rapidement et fortement son chagrin, mieux on en guérit. Laissez-moi cependant nuancer cette affirmation. Quand une personne voit sa vie bouleversée par une perte telle un deuil ou un divorce et qu'elle se met à souffrir dans ses efforts pour accepter ce changement, il peut en résulter une croissance ou une dévastation. Qu'est-ce qui va faire la différence ? : Le soutien que l'on a ou que l'on n'a pas.

On ne peut pas supporter une perte et s'y adapter si l'on n'a pas à ses côtés au moins une personne au monde qui prend notre main et nous serre dans ses bras. Sans ce soutien, on aura peur de se laisser aller à sa souffrance et l'on deviendra très amer. C'est la raison pour laquelle il faut encourager une personne chagrinée à se tourner vers les autres, à s'appuyer sur des amis et à rechercher de l'aide professionnelle.

Vous vous rappelez l'expérience de Jane ? Elle n'avait personne sur qui compter. Pas de famille. Pas d'amis. Elle est venue me voir et nous avons construit une amitié. Je suis devenu son soutien moral et elle a, peu à peu, perdu sa peur de souffrir. Au cours des années qui suivirent la mort de sa fille Sue, elle a progressivement construit un réseau autour d'elle et lorsqu'elle a perdu sa mère puis son mari par le divorce, elle a pu assez rapidement s'adapter à ces pertes. Au lieu de bloquer son cœur et son esprit à ses souvenirs, elle a immédiatement pu les repasser en profondeur avec ses nouveaux amis. La douleur s'est atténuée et elle a été libre de réinvestir son énergie émotionnelle dans d'autres relations.

Sans famille et sans amis, le chagrin devient un cauchemar. On est obligé de le fuir et les moyens de fuite sont très souvent dangereux et dévastateurs : alcool, drogues, travail acharné, promiscuité, sports violents, extravagances de toutes sortes. On fuit une douleur normale et l'on se retrouve prisonnier de douleurs inutiles... Mais un jour, il faut en guérir quand même... Alors pourquoi ne pas laisser ce chagrin s'exprimer immédiatement ?

Permettez-moi de vous suggérer ici quatre moyens qui vont, sûrement, vous conduire vers la guérison.

1) *Penser*

Cela est exactement le contraire de ce que l'on entend souvent dire :

« Arrêtez d'y penser. Oubliez cela. N'allez pas sur les lieux où il (ou elle) a vécu. Ne passez pas devant le cimetière, cela va vous rappeler des souvenirs. »

Je voudrais vous dire tout à fait le contraire. N'ayez pas peur de vos pensées. Laissez-les vous envahir. Par exemple, si vous passez devant le restaurant où vous avez mangé ensemble, revivez la soirée au complet dans votre esprit. Rappelez-vous du menu, de votre conversation, de la façon dont il (ou elle) était habillé (e) et le retour à la maison.

Si vous vivez dans la maison où cet être cher a vécu, faites-en le tour et rappelez-vous de sa présence dans chaque pièce. Si, par exemple, vous pleurez la mort de votre mari, asseyez-vous là où vous avez pris votre premier repas après votre lune de miel ; arrêtez-vous là où vous écoutiez votre musique préférée ; faites un arrêt dans la chambre où vous avez conçu vos enfants ; faites une pause à l'endroit où vous vous êtes embrassés pour la dernière fois. N'ayez pas peur de ce pèlerinage car c'est à force d'y penser que vous accepterez la réalité de votre perte. L'acceptation intellectuelle d'une perte peut venir facilement, mais l'acceptation émotionnelle prend des mois à se faire.

On apprend dans les cours de conduite automobile qu'il y a toujours un écart entre le moment où l'on applique les freins et le moment où la voiture s'arrête effectivement. La nouvelle d'une mort, d'un divorce ou d'une rupture s'enregistre généralement immédiatement dans le cerveau, mais avant qu'elle ne soit imprimée dans le cœur, il y a un délai réel. Plus on y pense, plus cela facilite l'acceptation.

2) *Écrire*

On peut penser trente années en trois minutes mais il faudra beaucoup plus de temps que cela pour les écrire. C'est pourquoi j'encourage les personnes qui ont un chagrin à tenir un journal.

Il faut faire attention à ne pas penser seulement aux détails d'une perte car cela pourra, dans certains cas, entraver la guérison.

Cela me fait penser à Alice et Orville, les grands-parents d'un garçon de 5 ans, tué accidentellement par son père alors qu'il reculait en voiture et avait roulé sur lui. Alice et Orville n'allaient plus à l'église, n'arrivaient plus à travailler correctement et n'arrêtaient plus de se disputer ensemble. Leur relation avec les parents du petit garçon s'était totalement dégradée.

Tout en écoutant leur histoire, je remarquai que la chose dont il parlait le plus et même presqu'exclusivement était la façon dont leur petit-fils Kevin était mort. Et c'est tout ce qu'ils faisaient depuis l'accident, soit depuis six mois.

« J'ai remarqué que vous parlez énormément des circonstances de la mort de Kevin. Avez-vous des souvenirs de sa vie ? demandai-je.

– Oh ! Kevin venait avec nous au chalet tous les étés depuis sa naissance. Au cours des deux dernières années, il m'accompagnait à la pêche. On partait en bateau à 10 heures du matin et on pêchait jusqu'à midi. Maintenant, je ne veux plus aller au chalet, dit Orville.

– C'était comme s'il était mon propre fils, dit Alice. Je l'ai gardé chaque jour depuis sa naissance. Ma fille est une infirmière et elle travaille énormément. Je pourrais vous raconter une histoire après l'autre sur Kevin. Je l'ai vu faire ses premiers pas. Je l'ai amené chez le coiffeur pour sa première coupe de cheveux...

– Je suis tellement heureux de vous entendre parler de la vie de Kevin, dis-je. Je vous encourage à passer du temps chaque jour à parler de sa vie merveilleuse. Pensez au Kevin vivant et content de vivre. Parlez de sa vie. Écrivez sa vie. Sa mort est tragique mais sa vie a valu la peine. Sa vie va influencer la vôtre aussi longtemps que vous vivrez. Alors passez du temps à vous concentrer sur sa vie. »

Alice et Orville comprirent mon point de vue. Toutes nos rencontres ultérieures se passèrent à parler de Kevin. Bientôt, je vis que ses grands-parents allaient mieux et s'adaptaient lentement à son absence.

Dans ce journal, écrivez tous les détails de votre chagrin mais aussi, et surtout, écrivez tous les sentiments qu'ils suscitent en vous. Dites à votre journal combien la vie est différente sans la personne que vous avez perduc. Racontez ce qui vous aide dans votre démarche et ce qui vous fait mal. Analysez votre colère, votre solitude et votre frustration. Soyez complètement honnête avec votre journal. Écrire permet de ralentir la vitesse de nos pensées et d'amortir ainsi un peu la douleur qu'elles provoquent.

3) *Parler*

Parlez de votre chagrin à quelqu'un capable de vous écouter sans se sentir obligé de vous dire quelque chose. Choisissez quelqu'un qui n'a pas une attitude désapprobatrice.

Organisez votre conversation selon une certaine progression. Commencez par parler de votre perte telle que vous la ressentez maintenant puis décrivez les détails et les émotions des événements qui ont marqué votre relation avec cet être aimé en remontant jusqu'à votre première rencontre. Parlez aussi de ce qu'était votre vie avant votre rencontre avec l'être aimé car cela va vous permettre d'accepter la possibilité d'avoir une vie épanouie en dehors de la personne que vous venez de perdre.

Parler est un processus qui permet de ressentir progressivement une diminution de la douleur aiguë de la séparation. Vous commencez par dire au revoir pour vous émanciper psychologiquement de l'attachement que vous avez volontairement formé avec la personne disparue. Peu à peu, ramenez l'aiguillon de la conversation vers vous et votre avenir, mais auparavant, soyez bien sûr d'avoir dit, d'avoir exprimé, d'avoir parlé tous vos sentiments aussi profondément que vous en aviez besoin.

C'est à force de penser et de parler de sa relation avec l'être perdu que l'on guérit de sa perte. L'expression verbale des sentiments véritables provoqués par cette perte en confirme la réalité, facilite le processus et produit un adoucissement de la peine.

Ne laissez plus jamais personne dire à qui que ce soit qui éprouve un chagrin de ne pas y penser… Un tel conseil est pernicieux et j'en ai vu de multiples conséquences. Mon cœur est attristé de voir des gens souffrir si longtemps quand ils auraient pu écourter leur deuil de beaucoup. C'est un peu comme avoir un abcès à une dent et refuser d'aller chez le dentiste… C'est être miné de l'intérieur, perdre sa vitalité et son goût de vivre et risquer une infection généralisée. L'abcès ne partira pas tout seul. Il faut l'intervention du dentiste et le plus tôt possible est le mieux.

Ce n'est pas un slogan, c'est une vérité. Plus on souffre vite et intensément, moins on souffre longtemps. La douleur sera forte mais elle ne se prolongera pas indéfiniment. Soyez miséricordieux envers ceux qui ont mal. Laissez-les parler. Écoutez-les.

En passant devant chez lui, je remarquai un homme marchant sur son gazon sans but précis. Une heure plus tard, je repassai et je le vis encore là, debout, sans rien faire. Il leva les yeux, me vit et m'envoya timidement la main. Je ralentis en entrant dans son allée. Vraiment, je ne connaissais pas cet homme mais il semblait avoir besoin d'un ami. Je bondis hors de ma voiture et me dirigeai vers lui en souriant.

« Bonjour mon ami, lui dis-je, comment allez-vous ?

– Pas très bien, me répondit-il, avec une petite voix usée et triste. Mais je suis tellement heureux que vous vous soyez arrêté ! Je n'ai personne qui me visite et je n'ai plus de famille. J'ai si rarement la chance de parler à quelqu'un, qu'est-ce qui vous amène ?

– Oh ! j'aime bien me faire de nouveaux amis. Vous aviez l'air d'un très gentil monsieur et il fallait que je m'arrête pour faire votre connaissance, répliquai-je.

– Voudriez-vous entrer ? Mais je m'excuse tout de suite pour le ménage. Cette maison n'est plus comme lorsque ma femme s'en occupait... Je vous en prie, entrez quand même. Vous recevoir est un honneur pour moi. »

En entrant dans son salon, je remarquai des photos d'une femme sur la cheminée et sur chaque meuble. Je m'assis sur une chaise berçante confortable et attendis que mon ami parle. Il commença lentement :

« Il y a deux mois, j'ai perdu cette femme magnifique. Nous étions mariés depuis 60 ans. Nous étions comme une seule personne. Je savais ce qu'elle pensait et elle me connaissait mieux que je l'aurais souvent voulu. Lawrence, voilà deux mois que je veux parler d'elle à quelqu'un mais personne ne vient. Je me parle à moi tout seul mais ce n'est pas la même chose. Personne ne me répond. Voilà, laissez-moi vous parler d'elle. »

Il alla d'une photo à l'autre et me raconta l'histoire de chacune d'elles. Photos d'anniversaires, de fêtes, de vacances, de travaux sur la ferme, de réunions de famille et, bien sûr, de leur mariage. À l'occasion, je posai une question ou deux, pour comprendre un peu mieux, mais je restai plutôt silencieux et l'écoutai pendant plus d'une heure. Finalement, il parut tituber et vint s'asseoir près de moi.

« Vous ne saurez jamais ce que votre visite m'a fait. J'avais besoin de parler d'elle. Elle était trop extraordinaire pour qu'on l'oublie. Aujourd'hui, j'ai eu la chance que j'ai demandée à Dieu, la chance de parler d'elle à quelqu'un. Et je ne vous connais même pas, Lawrence ! Mais ce n'est pas grave car j'ai l'impression de vous connaître depuis longtemps. J'espère que vous allez revenir et je vous promets que la prochaine fois, je ne monopoliserai pas la conversation.

– Je reviendrai, lui dis-je. J'aime vous écouter parler. Aujourd'hui, moi aussi j'ai reçu une grande bénédiction. Merci d'avoir partagé vos souvenirs avec moi. »

Tout en m'éloignant, je regardai mon nouvel ami. Il semblait avoir un petit peu plus de force dans son bras alors qu'il m'envoyait la main. Parler de la femme qui avait partagé sa vie pendant soixante ans lui avait permis de commencer à guérir de son chagrin.

4) *Pleurer*

Pleurer soulage le cœur, apaise l'esprit, calme les nerfs. Il ne faut pas refouler ses larmes. Laissez-les couler… On ne pleure pas par faiblesse. On pleure parce qu'on est humain. Jésus Lui-même a pleuré, nous dit le Nouveau Testament. Pourquoi ne pleurerions-nous pas?

Un jour, je m'adressai à un groupe de femmes pour leur parler du chagrin. Je savais que chacune d'elles avait subi une perte majeure par le divorce ou la mort. Je suis toujours inquiet de m'adresser à tant de souffrances réunies. Je me demande ce que mes paroles vont provoquer: moins de peine ou plus d'amertume? Mais pour ce groupe-là, il me fallut environ 10 minutes pour en avoir le cœur net: J'avais à peine commencé à parler qu'il n'y avait plus un seul visage qui n'était pas baigné de larmes. Les fards à paupières et le mascara dégoulinaient et chaque femme se tamponnait les yeux avec un papier-mouchoir.

Je dis alors:

« Oh! que je suis heureux de vous voir toutes pleurer. Les gens qui restent insensibles à mes conférences me causent beaucoup de soucis, mais vous, alors que vous vous essuyez les yeux et le nez, vous essuyez un peu de votre douleur. Ceux qui refusent de pleurer gardent leurs larmes pour plus tard et ils auront à vivre une agonie inutile pendant les mois et les années de larmes retenues. N'ayez donc pas honte de vos pleurs, ils brillent de la promesse de votre guérison. »

Le Dr James Peterson de la University of Southern California a dit :

«Personne ne pleure pour rien. On pleure toujours parce qu'on a perdu quelque chose qui nous était précieux. S'affliger en pleurant est donc une célébration de la profondeur de l'union qui n'est plus. Les larmes sont les bijoux du souvenir – triste, mais étincelant de la beauté du passé.»

Les quatre moyens ne sont pas une cure magique. Ils facilitent le processus du chagrin qui demeure cependant long. La plupart des gens veulent savoir combien de temps «cela» durera, mais il est impossible de le prévoir pour tous. Certains auteurs disent qu'un deuil reste cuisant pendant six à huit mois, mais ne comptez pas les jours. Cherchez plutôt à remarquer les petites améliorations et encouragez-vous pour chaque pas en avant. Oui, vous pourrez régresser de temps à autre, c'est normal, mais gardez les yeux fixés sur le but.

On ne passe pas du chagrin à la joie comme on passe du salon à la salle à manger. Non, la guérison est plutôt comme le lever du jour ou le réchauffement d'une pièce. Quand vous apercevez la lumière ou la chaleur, cela fait déjà quelque temps qu'elles étaient là.

Je me consacre à la guérison du chagrin depuis une vingtaine d'années et j'ai recommandé les quatre moyens à des milliers de personnes endeuillées, agitées et ne sachant comment s'en sortir. Parfois, lorsque je les rencontre enfin, cela fait des mois qu'elles tournent en rond et ne font rien pour apaiser leur âme attristée. Elles ont le sentiment d'être des victimes du sort mais dès qu'elles utilisent les quatre moyens, elles tiennent à nouveau les rennes de leur vie entre leurs mains.

Les sentiments d'anxiété diminuent quand on sait quoi faire avec son chagrin. Alors, laissez-moi vous conseiller de vous fixer chaque jour un temps pour penser, écrire, parler et pleurer. Le temps passé à s'affliger délibérément diminue les risques de perdre le contrôle de soi en public.

Chercher à éviter de s'affliger ouvertement peut donner l'illusion que l'on contrôle bien son chagrin, mais cela ne permet pas d'avancer. Vous devez passer par la douleur que vous causeront ces quatre moyens si vous voulez transcender votre perte.

QUELQUES EXERCICES UTILES

1) Pensez à une perte récente ou à une perte que vous n'avez pas encore acceptée. Employez les quatre moyens décrits dans ce chapitre pour vous en guérir. Consacrez du temps à cet effet chaque jour. Continuez pendant 6 semaines ou jusqu'à ce que la douleur soit fortement diminuée.

2) Relisez les notes de votre journal des jours précédents l'exercice No 1. Indiquez dans votre journal les changements positifs que vous remarquerez à partir de votre application des quatre moyens de guérison.

3) Pourquoi ne pas aider une personne qui souffre comme vous d'une perte, plus ou moins semblable, à utiliser les quatre moyens que nous venons de décrire ? Se tourner vers les autres est vraiment curatif.

8

Révision et reconstruction

Il m'arrive souvent d'être dans la salle d'urgence avec la famille quand le médecin lui annonce la mort d'un être aimé. Les réactions varient. Habituellement, on dirait que la famille reçoit un coup de poignard, puis... elle éclate en sanglots. Après quelques minutes, elle est envahie par un engourdissement progressif, entrecoupé parfois de courts instants de rage, et qui débouche toujours sur un refus de croire à la réalité. Même après avoir vu le corps, la famille se dirige vers les voitures en disant :

« Je ne puis y croire. Cela ne peut pas nous arriver. »

Les funérailles se déroulent dans un brouillard épais. La famille sait qu'il y avait beaucoup de monde mais elle n'arrive pas à se souvenir des noms. Les paroles de l'officiant sont rarement retenues. Tout l'épisode ressemble à un mauvais rêve.

Peu de temps après l'enterrement, bien des personnes endeuillées se mettent à la recherche du mort. Elles le cherchent dans les foules, à l'église, dans le métro, à la maison. Elles soupirent et espèrent trouver la personne là, comme à l'habitude. Une dame, par exemple, m'a confié que lorsqu'elle rentrait de faire ses courses, elle s'attendait toujours à trouver son mari assis dans sa chaise berçante. Quand, elle ne le voyait pas là à son retour, elle se mettait à l'appeler dans toute la maison. Il ne répondait jamais... Quand le silence finissait par la dégriser, elle se recroquevillait dans son lit et se mettait à sangloter.

Ce comportement n'est pas exceptionnel. La réalité de la mort a été enregistrée intellectuellement jusqu'à un certain degré seulement. Mais sur le plan affectif et psychologique, la personne vit encore avec l'être cher disparu.

Au début du deuil, tout est mis en œuvre pour garder la relation aussi vivante que possible. On essaie de conserver le sens de la présence du disparu tout en sachant très bien que, dans le fond, tous ces efforts sont vains. À la suggestion d'oublier, la personne endeuillée se fâche et généralement devient agressive.

Cela faisait déjà plusieurs fois que Pamela venait à mon bureau et chaque fois, je lui disais:

« Pamela, ça vous ferait du bien de dire au revoir à votre relation avec Jack. Vous essayez de vous accrocher à quelqu'un qui ne peut plus remplir vos besoins. »

Un jour, elle se dressa devant moi en hurlant :

« Je ne veux pas dire au revoir à Jack. Ne pouvez-vous pas le comprendre ? Je le veux avec moi et vous n'allez pas me le prendre. »

J'ai appris à travers Pamela qu'il est préférable dans un premier temps, de coopérer avec le besoin normal de l'individu de continuer à s'accrocher à la relation perdue et qu'il n'est pas bon de le combattre. C'est pourquoi, réviser et reconstruire au complet cette relation perdue, en pensée et verbalement, est extrêmement réconfortant. Cela permet aussi de faciliter l'expression des sentiments et d'éviter de rester bloqué dans son chagrin.

Il arrive que des gens qui me racontent leurs souvenirs se mettent à regarder au loin par la fenêtre. Perdus dans leurs pensées, ils sourient puis s'excusent en me disant quelque chose comme :

« Je n'oublierai jamais combien nous étions heureux quand nous nous sommes mariés. Ben était tellement plein de vie. Si beau. J'étais si fière d'être dans ses bras. »

Parfois, ils vont rire. Rire détend énormément. Rire permet aussi d'exprimer sa peine quand les larmes ne viennent pas.

Ayant passé des semaines à penser, à écrire et à parler de son mari, une femme connut une amélioration étonnante de son état. Cela faisait une heure qu'elle me racontait les événements drôles de son mariage et qu'elle en riait. Pour la première fois depuis la mort de son mari, elle souriait d'un sourire qui venait de la profondeur de son âme. Elle s'exclama :

« Ah ! Je me sens bien à nouveau ! Je suis sûre que je suis en train de guérir. Je vais pouvoir trouver une raison de vivre même si mon mari n'est plus. »

C'est exactement cela que l'on doit découvrir au début d'un chagrin : On va en guérir – et cette découverte se fera si l'on suit son inclination naturelle de conserver vivante la relation perdue en la révisant et en la reconstruisant par écrit et à haute voix aussitôt que possible.

Le personnel hospitalier doit réaliser le rôle important qu'il peut jouer dans ce processus. Il se trouve souvent avec la famille au moment de la mort. Le docteur, l'infirmière, le travailleur social ou l'aumônier peuvent encourager la famille endeuillée à raconter l'histoire de la vie de la personne décédée. Si seulement le personnel hospitalier veut prendre le temps d'être avec la famille, la révision et la reconstruction se feront ainsi sans délai.

Lorsqu'une personne aimée meurt, la personne endeuillée veut partager avec quelqu'un combien l'amour qu'elle lui a porté était valable et précieux. Si cette occasion ne lui est pas offerte, elle aura un sentiment de vide affreux qui s'installera dans son cœur, suivi d'une sensation d'étouffement qui l'empêchera dans l'avenir de partager et d'exprimer ses émotions.

Une jeune maman se précipita dans la salle d'urgence d'un hôpital avec sa petite fille de 5 ans dans les bras. Elle hurla à l'infirmière :

« Faites quelque chose pour ma fille ! »

L'infirmière prit la petite fille et l'amena dans la salle de traitement alors que j'amenais la mère dans la salle familiale. Elle m'apprit que sa fille était née avec un problème qui ne lui permettait pas de vivre au-delà de six ans. Le père de la fillette était parti en voyage de chasse et il était impossible de le rejoindre. Ce matin-là, la maman était allée surveiller sa petite fille dans son lit et l'avait trouvée déjà toute bleue. Elle l'avait alors enveloppée dans une couverture et avait demandé à une voisine de la conduire à l'hôpital.

Un médecin entra dans la pièce où je me tenais avec cette jeune maman et lui annonça que sa fille était morte alors que, du même coup, l'infirmière demandait quel entrepreneur de pompes funèbres, il fallait appeler. Je regardai furtivement la mère et vis que cette question était vraiment trop prématurée. Je m'adressai à l'infirmière et lui dis :

« Je pense que Mme Jenkins veut à cet instant passer un peu de temps avec son enfant. Nous penserons à un entrepreneur plus tard. »

Mme Jenkins me regarda et dit :

« Oh ! merci. Oui, j'aimerais faire cela. Voudriez-vous rester avec moi ?

– Bien sûr, répondis-je. »

J'allai avec elle dans la salle de traitement. Sur une civière, presque à terre, reposait la petite fille que Mme Jenkins appelait son cadeau du ciel. Elle s'agenouilla d'un côté de la civière et je m'agenouillai de l'autre côté.

« Parlez-moi de votre cadeau du ciel », dis-je.

Pendant ce qui me sembla être une bonne heure, Mme Jenkins me raconta la joie et les peines vécues auprès de ce petit être si précieux. Alors qu'elle se rappelait une histoire après l'autre, elle passait ses doigts dans les cheveux de sa petite fille. Les infirmières venaient de temps à autre me faire signe d'écourter la visite, mais je leur faisais signe de nous laisser tranquilles.

« Aimeriez-vous que je prie et remercie Dieu pour toutes les bénédictions que cette enfant vous a données ? » demandai-je.

Elle acquiesça d'un signe de tête et saisit ma main par-dessus la civière. Après avoir prié, je lui demandai :

« Y-a-t-il encore une chose que vous aimeriez faire pour votre enfant avant de partir ?

– Oui. J'aimerais lui laver le visage et coiffer ses cheveux. »

J'allai vers l'évier et revins avec un gant de toilette trempé d'eau chaude savonneuse et une serviette chaude et bien sèche. Je remarquai qu'elle avait sorti un peigne de son sac. Elle lava le visage de sa petite avec tendresse et le sécha doucement puis elle coiffa délicatement ses doux cheveux blonds. Nous sortîmes ensemble de la pièce pour donner à l'infirmière le nom du salon funéraire à contacter.

Deux semaines plus tard, je rencontrai Mme Jenkins à l'épicerie. Elle me dit alors combien elle avait apprécié le privilège d'avoir évoqué sa vie avec sa fille alors qu'elle était agenouillée auprès de son corps. Cela avait réellement facilité son deuil.

Réviser et reconstruire la relation que l'on vient de perdre peut devenir répétitif. Les gens disent :

« Vous n'êtes pas fatigué d'entendre toujours la même histoire ? »

Je m'empresse de leur dire que la répétition est vitale. Ce que je ressens n'a aucune espèce d'importance. Ce qui compte, c'est ce que la répétition leur fait à eux.

Les personnes chagrinées ont besoin d'amis patients qui ne condamnent pas, prêts à les écouter sans se lasser même quand elles se répètent à l'infini. Quelqu'un qui ne comprend pas l'importance de ces répétitions va facilement dire :

« Arrêtez de revenir toujours sur les mêmes choses. Cela ne vous fait aucun bien. »

Mais c'est faux, cela fait du bien. Réviser le passé peut ramener à la surface des choses désagréables. Peu importe. Cela fait partie de la thérapie et c'est nécessaire.

Une veuve me racontait combien son mari était protecteur. Il s'occupait de tout. Elle ne savait même pas comment écrire un chèque. Elle explosa soudain :

« Pourquoi Danny ne m'a-t-il pas enseigné ces choses ? Il m'a trop traitée en bébé. Peut-être que s'il ne m'avait pas rendue si dépendante, je pourrais supporter d'être seule. »

Un divorcé me répétait son histoire pour la cinquième fois. Il disait :

« Elle était toujours tellement passive. Combien j'aurais voulu qu'elle parle et qu'elle me dise ce qui la rongeait. J'aurais alors pu faire quelque chose pour changer. Maintenant, je sais ce que je devrais faire mais elle ne veut plus me donner de chance. »

Il ne faut pas avoir peur de parler aussi des aspects négatifs de la relation car cela va permettre d'admettre sa colère et de l'analyser d'une manière constructive. Si l'on évite de parler de ces choses, l'adaptation à la perte sera plus difficile et plus longue.

J'aime bien aider une personne qui souffre d'un chagrin en lui disant, alors que je me cale bien au fond de mon fauteuil :

« John (ou Mary) a été une personne unique dans votre vie. Parlez-moi de lui ou d'elle. »

Et j'écoute aussi longtemps que la personne veut bien parler. À la fin d'un entretien, rares sont ceux qui ne me disent pas :

« Je me sens tellement mieux maintenant. Il faut croire que j'en avais besoin. »

L'idée d'être séparé d'un être aimé n'est pas une idée naturelle à l'être humain. Une relation peut être coupée court et d'une manière irréversible, mais il ne faut pas en étouffer les dernières lueurs qui se prolongent et qui réchauffent encore le cœur. S'attacher à ces lueurs pour les goûter en profondeur une dernière fois est réconfortant et prépare à la guérison.

Vous n'êtes pas obligé de réviser et de reconstruire dans votre esprit la relation au complet en une seule fois. Vous allez vous épuiser. Trop de souvenirs à maîtriser en même temps provoque de l'anxiété. Allez-y en douceur. Donnez-vous des semaines et même des mois pour faire l'investigation de votre relation.

Il y a des jours où vous voudrez prendre une vacance de ce travail fatigant. Vous aurez besoin d'un répit à votre souffrance. N'en faites pas de remords. Pensez à autre chose et changez-vous les idées. Après tout, les émotions sont comme les muscles du corps. Tous les deux doivent se reposer périodiquement.

Ainsi à ressasser de cette manière le passé, vous accepterez progressivement qu'il est bien passé et qu'il ne reviendra pas. Et tranquillement, vous ressentirez le besoin de dire au revoir à ce qui ne peut plus être.

QUELQUES EXERCICES UTILES

1) Révisez et reconstruisez au complet votre relation avec cette importante personne que vous avez perdue. Méthodiquement, pensez à ce qui a été bon, médiocre et mauvais dans votre relation.

2) Révisez les plans que vous aviez pour l'avenir.

9

Dire
au revoir

J'avais 16 ans et pour la première fois, j'allais quitter la maison. Pour un enfant élevé à la campagne, l'attraction de la ville était puissante et j'avais hâte de m'y rendre. Je rangeai ma valise dans le coffre de notre Studebaker 1942. Mon père vérifia une dernière fois si le portail était bien fermé, puis il se mit au volant. Pendant que nous nous éloignions lentement de la maison, d'étranges sentiments se mirent à bouillonner dans mon cœur et ils s'intensifièrent lorsqu'arrivé, je montai ma valise dans la petite chambre du dortoir du collège où j'allais étudier à Philadelphie. Tout était si étrange pour moi.

Dans le stationnement de l'école, je dis au revoir à mes parents. Ma mère me serra dans ses bras pour la première fois de ma vie. Mon père me serra aussi dans ses bras, mais si gauchement... Les seuls contacts physiques que j'avais eus avec lui étaient une bonne claque occasionnelle sur le genou quand on travaillait ensemble, et une fessée de temps à autre.

Mes parents s'éloignèrent et je restai là, tout seul, dans un monde totalement nouveau. Les émotions embrouillées qui s'étaient amplifiées en moi pendant le voyage de trois heures trouvèrent soudain un passage brûlant jusqu'à mes yeux. J'essayai de refouler mes larmes mais j'en fus incapable. La vieille Studebaker était devenue toute floue en disparaissant au bout de la rue. La boule dans ma gorge était si grosse que je crus étouffer. J'allai me réfugier à l'arrière de l'école, où personne ne pouvait me voir, et là, je pleurai tout mon saoul.

Dire au revoir à mes parents avait été l'événement le plus pénible de toute ma vie jusqu'à ce jour. Mes parents ont encore vécu 30 ans après cette première séparation, mais cet au revoir fut pour moi une expérience traumatisante.

Au cours des années, j'ai eu à faire de nombreux au revoir. Combien de parents, combien d'amis morts ou disparus ! Quelle douleur de savoir que l'on ne se reverrait plus dans cette vie ! Combien de fois je me suis senti presque paralysé. Combien de fois j'ai cru que je ne pourrais plus continuer à vivre... mais j'ai continué. J'ai dit au revoir. J'ai guéri.

J'ai appris à dire au revoir au contact des centaines de personnes endeuillées qui ont traversé ma vie au cours des trente dernières années. Permettez-moi de partager avec vous leurs secrets.

Pour dire au revoir à une relation, il est essentiel de l'avoir auparavant révisée et reconstruite en pensée. Il est aussi indispensable d'avoir écrit et parlé de cette relation. Avant de mettre fin à une relation, il faut avoir pris le temps de la fêter.

Souvent les gens sont inquiets quand ils m'entendent dire qu'ils doivent dire au revoir à leur relation mais c'est parce qu'ils ne comprennent pas ce que je veux dire. Je ne leur dis pas d'oublier leurs souvenirs car ce sont des joyaux précieux enchâssés dans l'esprit. Laissez-moi vous raconter l'histoire d'Ella, vous allez comprendre ce que je veux dire.

Ella avait 86 ans. Elle était au milieu d'un groupe de 16 personnes dont la moyenne d'âge était de 82 ans. Elle se mit à raconter son histoire :

« Mon cher mari est mort dans cet hôpital, il y a tout juste deux semaines. Vous ne pouvez imaginer le coup que cela m'a donné, dit-elle d'une voix tremblotante. Mais il faut que je me ressaisisse. Il faut que je le chasse de mon esprit. Je ne peux pas penser à lui. Il faut que j'essaie de ne pas penser à lui…

– Ella, je vous vois refouler vos larmes. Qui vous a dit de ne pas penser à votre mari ?

– Mon pasteur et mon médecin. Ils m'ont dit que ce ne serait pas bon pour moi.

– Ella, lui demandai-je, avez-vous des enfants ?

– Oui, Monsieur, me répondit-elle avec fierté. J'ai deux fils.

– Vous souvenez-vous du jour où votre plus vieux est allé à l'école pour la première fois?

– Oui.

– Maintenant Ella, vous allez prétendre que vous êtes là, debout sur le perron de votre maison, ce premier jour d'école. Vous vous penchez vers votre fils et vous lui dites: « Chéri, lorsque tu passeras devant le vieux cerisier de chez Mr York, je te défends de penser aux éléphants aux yeux rouges qui se trouvent dans son arbre. » Vous lui dites cela trois fois avant qu'il ne quitte la maison et juste avant qu'il ne sorte de la cour, vous le lui répétez encore une fois. Dites-moi, Ella, à quoi votre fils va-t-il penser quand il passera devant le cerisier de Mr York? »

Une petite lueur brilla dans les yeux d'Ella alors qu'elle me répondait:

« Aux éléphants aux yeux rouges, bien sûr!

– Et lorsque l'on vous dit de ne pas penser à votre mari, à quoi pensez-vous que vous allez penser?

– À mon mari! Après tout, nous avons vécu 60 ans ensemble. Comment pourrai-je ne pas penser à lui?, me répondit-elle vivement.

– Ella, vous avez ma permission de réviser tous vos magnifiques souvenirs avec votre mari. J'aimerais bien que vous commenciez par me dire comment vous vous êtes rencontrés. Je suis fasciné par les histoires d'amour. Pourriez-vous me raconter la vôtre?, demandai-je avec instance.

C'était l'invitation dont elle avait besoin. Pendant vingt minutes, Ella raconta au groupe ses souvenirs, pleurant et riant tout à la fois. Finalement, elle poussa un gros soupir et s'exclama:

« Oh! je me sens tellement mieux maintenant. J'aurais bien aimé que quelqu'un me dise cela il y a quinze jours. »

Au début d'un chagrin, les souvenirs sont pénibles, mais quand on en est guéri, ils deviennent des monuments en l'honneur de l'utilité de la vie de la personne aimée. Dire au revoir, ce n'est pas dire au revoir à la personne. Le caractère et la personnalité uniques de l'être disparu sont intimement tissés dans la vie de la personne en deuil. Dire au revoir à la personne forcerait l'individu qui lui survit à arracher de son style de vie bien des éléments qui sont pétris de son influence.

Les parents qui perdent un enfant et qui veulent lui dire au revoir éprouveront des problèmes, car un jour ils verront avec étonnement chez un de leurs enfants vivants, les manières et les expressions de l'enfant décédé. J'ai rencontré des parents qui évitaient un de leurs enfants vivants car il leur rappelait l'enfant mort. Il n'est pas réaliste – c'est le moins qu'on puisse dire – de dire au revoir à la personne qui n'est plus.

Il ne faut pas non plus détruire tout espoir de revoir la personne car cet espoir, l'espoir d'être à nouveau réunis un jour, facilite la guérison. L'absence totale de tout espoir de jamais revoir l'être aimé entrave fortement l'adaptation à son absence.

Il est inexcusable d'enlever cet espoir à quelqu'un qui le possède. Les thérapeutes qui font ce genre de travail et qui utilisent cet argument (il (ou elle) est parti(e) pour toujours, jamais vous ne le (la) reverrez), pour délivrer quelqu'un de son chagrin, ne sont pas sages.

Un ami psychologue est venu passer un peu de temps avec moi alors qu'il vivait son deuil. Il plaça sa main sur mon épaule, me regarda dans les yeux et me dit :

« Lawrence, que pensez-vous de ces quelques rares études empiriques qui insinuent qu'avoir la foi ne fait pas vraiment de différence ? »

Sans hésiter, je répondis :

« Je crois que leurs auteurs ont besoin de pousser plus loin leurs recherches.

– Je suis d'accord avec vous à 100 p. 100, me répondit-il et par le ton de sa voix, je sus que c'était l'espérance qui l'avait guidé à travers sa perte profonde. »

Maintenant, vous devez vous demander à quoi il faut dire au revoir si ce n'est pas aux souvenirs, à la personne ou aux espoirs d'une réunion future. Je vous encourage à dire au revoir à *la relation* telle qu'elle a existé mais qui ne peut plus se poursuivre dans cette vie.

Vous comprenez? Lorsqu'une personne en chagrin s'attache à une relation qui a cessé, l'absence
de réponse est très frustrante. Les besoins humains
que cette relation comblait autrefois ne le sont
plus. L'anxiété atteint un paroxysme. La solitude
s'approfondit. La dépression s'installe; ces expériences désagréables peuvent s'éterniser et figer dans le
chagrin. Non, il faut petit à petit, un peu ici, un peu
là, dire au revoir à la relation qui existait et qui n'est
plus.

C'est pourquoi si l'on a déjà commencé à
réviser et à reconstruire la relation que l'on a eue, il
s'agit simplement de reprendre cette relation et de la
réorganiser en éléments essentiels et non-essentiels.
Commencez par dire au revoir aux choses de cette
relation qui étaient les moins importantes et, graduellement, arrivez à dire au revoir à ce qui était unique et
capital.

Je vous suggère de dire au revoir à haute voix.
Prononcer d'une manière audible son au revoir aidera
à le rendre définitif. Il est logique de s'adresser à la
personne perdue. Vous pouvez avoir accepté intellectuellement la réalité de sa perte mais vous n'avez pas à
l'accepter à d'autres niveaux. À toutes fins pratiques,
cette personne manquante vit encore avec vous. En
vous adressant à elle, vous arriverez à accepter son
absence plus facilement.

Pour certains, écrire leur au revoir puis le lire
tout haut est ce qui leur convient le mieux. Voici
quelques exemples pour illustrer ce processus:

Barbara avait perdu son mari dans un accident imprévisible. Un an plus tard, elle était en dépression, incapable de s'occuper de sa famille.

Mes séances avec elle étaient tellement pénibles que, souvent, elle quittait la pièce et refusait de revenir s'asseoir. Mais à la longue, elle finit par réviser et reconstruire, au cours de nos entretiens, sa relation avec son mari.

Jour après jour, elle disait par écrit au revoir à une partie ou une autre de sa relation et lisait son texte à haute voix. Après avoir fait une révision complète, elle ressentit le besoin de dire un au revoir global. Une de ses amies me téléphona alors en me disant que Barbara était hystérique. J'allai immédiatement la visiter. Elle était assise dans son fauteuil; son visage était sans expression. Elle était épuisée. Dans sa main, elle tenait son journal.

« J'ai fait mon dernier au revoir, » me dit-elle calmement.

Elle me regarda. Un léger sourire apparut sur ses lèvres :

« Désirez-vous que je vous le lise ?

– Barbara, je suis très heureux de votre progrès. Oui, allez-y, lui dis-je avec empressement.

– « Oh ! Johnny, tu es mort. Tu es mort. Je ne te reverrai plus jamais dans cette vie. Jusqu'au jour où l'on se retrouvera, au revoir Johnny. Au revoir Johnny. Je t'aime. Tu sais Dieu, je ne Te connais pas très bien, mais lorsque tout sera remis en ordre, j'aimerais apprendre à Te connaître. O.K. ? »

Barbara appuya sa tête contre le coussin de son fauteuil et pleura. Lorsqu'elle n'eut plus de larmes à verser, elle soupira et dit :

« Je suis heureuse que, finalement, ce soit fini. »

Le jour suivant , elle alla faire des achats et remit sa maison en ordre. Elle fit son premier bon repas depuis des mois. Après avoir mangé, elle serra ses trois enfants contre elle et leur dit avec amour :

« Mes enfants, votre maman a passé toute l'année dernière à vivre pour elle. Maintenant, je vais vivre pour vous. Ensemble, nous allons être heureux de nouveau. »

L'histoire de Margie n'est pas moins émouvante que celle de Barbara. Elle aussi avait perdu son mari soudainement, terrassé au cours d'une compétition sportive. Plusieurs mois plus tard, elle récoltait le maïs dans le jardin quand, tout à coup, elle se souvint qu'elle et son mari Ed l'avaient planté ensemble au printemps très tôt.

Elle repassa dans sa mémoire cette expérience au complet : l'achat des graines et de l'engrais, l'ensemencement des longs rangs, le recouvrement des graines avec la terre bien meuble et quelque temps plus tard, le sarclage des mauvaises herbes.

Puis là, au milieu de son jardin, Margie leva les yeux vers le ciel bleu. Le visage noyé de larmes, elle s'écria :

« Ed chéri ! Ed chéri ! Toi et moi nous avons planté ce maïs ensemble, mais nous ne le ferons plus jamais sur cette terre. Au revoir au maïs planté ensemble au printemps ! Au revoir Ed, nous ne planterons plus jamais de maïs ensemble au printemps. »

Margie me dit plus tard :

« Je suis restée là, debout, dans ce champ de maïs et j'ai pleuré pendant une bonne demi-heure. Quand j'eus pleuré toutes les larmes de mon corps, j'ai senti à l'intérieur de moi un petit espace pour autre chose que des pensées constantes au sujet de mon mari. J'avais une nouvelle liberté que je ne sentais plus depuis la mort d'Ed. »

À partir de ce jour-là, Margie a continué à dire au revoir jusqu'à ce qu'elle soit prête à s'éloigner complètement de son chagrin. Il y a toujours certaines parties d'une relation plus difficiles à abandonner que d'autres, par exemple les moments d'intimité sont particulièrement durs à céder, et il peut être nécessaire de répéter ses au revoir à plusieurs reprises jusqu'à ce que la douleur s'estompe.

Si la paix et la guérison ne surviennent pas après quelques au revoir à une partie précise de la relation, n'abandonnez pas jusqu'à ce que la douleur diminue. Elle va diminuer.

Il est pénible de dire au revoir. Vous aurez cent raisons de ne pas le faire. Ne vous laissez pas gagner par vos raisons. Commencez à dire au revoir même si vous n'avez pas envie de le faire.

J'ai rencontré une maman canadienne qui ne voulait pas dire au revoir. En réalité, cela faisait 15 ans qu'elle refusait de le faire. Son petit garçon était mort de la mort subite du nourrisson. C'est l'officiant qui avait fait l'enterrement qui m'a présenté à Helen et voilà ce qu'elle m'a raconté :

« Ce pasteur a fait l'enterrement à des kilomètres d'ici il y a 15 ans et nous nous étions perdus de vue depuis des années. Un jour, voilà un an de cela, il passait par cette ville et il a décidé de me retrouver. Il m'a offert votre livre sur le chagrin et j'ai commencé à le lire. Lorsque je suis arrivée au chapitre « Dire au revoir », je me suis littéralement enragée. J'ai jeté le livre dans un coin de la chambre en jurant de ne jamais le reprendre. »

Par le ton de sa voix, je fus convaincu qu'elle était très sérieuse. J'osai quand même lui demander :

« Le livre est-il encore dans le coin ?

– Euh… Laissez-moi vous dire ce que j'ai fait. J'ai appelé une compagnie aérienne pour savoir combien coûtait un billet pour la ville où est enterré mon fils. Je me disais que d'aller visiter sa tombe m'aiderait. Je fus renversée du prix et raccrochai. Je me mis alors à penser que de lire ce chapitre coûterait beaucoup moins cher que d'aller sur la tombe de mon enfant… puis que si ça marchait, je m'en porterais mieux financièrement et psychologiquement. J'ai donc ramassé le livre, j'ai lu le chapitre et j'ai fait exactement ce que vous disiez de faire. Ce soir, si j'ai voulu vous rencontrer, c'est pour vous dire que si j'avais dit au revoir il y a 15 ans, je me serais épargné plus de souffrances que je peux l'imaginer. Pourquoi ai-je été si aveugle ? Pourquoi quelqu'un ne m'a-t-il pas dit de le faire ? »

À ce moment-là, débordante d'appréciation, elle voulut me serrer la main mais elle me serra dans ses bras.

Dire au revoir est la tâche du chagrin que les gens refusent le plus de faire. Leur résistance entrave leur guérison.

Commencez par dire au revoir. Tant que vous ne l'aurez pas fait, il vous sera impossible d'entamer de nouvelles relations, que ce soit avec Dieu ou avec d'autres personnes.

Dites au revoir. Puis dites bonjour à un nouveau chapitre de votre vie. Vous n'aimez peut-être pas ce chapitre mais, un jour, vous vous retournerez et vous trouverez un sens à ce que la vie a écrit pour vous.

QUELQUES EXERCICES UTILES

1) Pensez à une activité que vous aviez l'habitude de faire avec une personne qui n'est plus dans votre vie. Écrivez un au revoir à cette activité avec elle. Lisez votre texte à haute voix. Dites au revoir du fond de votre cœur. Répétez-le jusqu'à ce que vos larmes soient taries et que votre douleur soit adoucie.

2) Passez en revue les façons dont vous avez dit au revoir dans le passé à ceux qui ont quitté votre vie.

10

Le cercle
brisé

J e dessine soigneusement sur le tableau un cercle. J'en dessine un deuxième qui s'imbrique partiellement dans le premier. Puis j'efface un des deux cercles, laissant l'autre avec une partie manquante.

Je me tourne vers mon groupe de personnes en chagrin et je demande :

« Quelqu'un peut-il me dire ce que je viens de faire ? »

Une femme qui venait de vivre un divorce me dit :

« Bien sûr ! J'avais l'habitude de partager ma vie avec une autre personne mais elle m'a quittée. Maintenant, il y a une grande partie de moi-même qui n'est plus. »

Sa réponse a provoqué d'autres réponses. Chacun dans le groupe a donné son interprétation personnelle. Les idées partagées sont fascinantes. Je les ai recueillies et j'aimerais bien vous les communiquer. Je crois que vous pourrez facilement vous identifier à une ou à plusieurs de ces réponses.

Un problème de perception

« Quand vous avez une relation profonde avec une personne et que vous perdez cette relation, vous avez l'impression de ne plus être une personne à part entière. C'est faux. Vous êtes toujours la même personne, avec les mêmes qualités et le potentiel pour vivre une vie productive. Mais cette perte immense vous laisse avec un problème de perception. Vous avez donc besoin de vous réévaluer, d'affirmer à nouveau quels sont vos atouts et vos qualités. Vous commencerez alors à voir des choses que vous ne pouviez voir auparavant. Parlez à vos amis de votre problème de perception. Ils vous aideront à comprendre que vous n'avez pas perdu une partie de vous-même. Vous avez perdu une relation avec une personne importante pour vous. »

Une partie de vous manque

« La pièce en forme de croissant qui manque à votre cercle représente la partie que vous avez investie dans la personne que vous avez aimée. C'est pourquoi vous vous sentez si vide quand celui ou celle que vous aimez meurt ou divorce. Vous ne retrouverez jamais cette partie de vous-même. Vous pouvez remplir ce vide avec d'autres relations et d'autres intérêts, mais il y aura toujours des espaces vides. C'est comme si vous essayiez de remplir un espace cubique avec des morceaux de bois sphériques. Il y aura toujours de petits espaces vides. »

Les cicatrices resteront

« À la longue, vous remplirez votre vide. Des relations différentes répondront à nouveau à vos besoins. Cela me fait penser à une opération chirurgicale : On ôte un morceau de peau et de chair. À la longue, votre corps guérira mais il y aura toujours une cicatrice pour vous rappeler l'excision. »

Il reste quelque chose

« Bien sûr, il nous manque quelque chose quand un être chéri meurt ou nous quitte, mais avez-vous pensé qu'il reste aussi quelque chose ? Vous n'êtes pas totalement dévalisé. En fait, il vous en reste plus qu'il ne vous en manque. Vous pouvez donc encore trouver une raison de vivre. Si vous ne cessez pas de vous concentrer sur la partie manquante, il ne vous restera plus de temps ni d'énergie pour utiliser ce qui vous reste. Il est nécessaire de pleurer avec son cœur brisé sur ce qui est parti, mais souvenez-vous qu'il viendra un temps où il faudra réorganiser et utiliser ce qui reste. »

Une empreinte pour la vie

« Le cercle qui vous reste raconte l'empreinte que la vie de l'autre personne a eue sur la vôtre. Le modèle de votre vie a été modifié. Vos priorités ont été réarrangées. D'une certaine façon, vous serez à jamais différent parce que cette personne spéciale a fusionné sa vie avec la vôtre. »

Ça doit venir de l'intérieur

« Ce cercle altéré dit que l'on n'est plus pareil après une perte mais on peut redevenir entier en dépit des changements. Le renfoncement dans le cercle peut être redressé et un cercle parfait peut apparaître à nouveau mais le mouvement doit se faire de l'intérieur vers l'extérieur. Ce mouvement vers l'extérieur et vers la complétude dépend de nos attitudes et de notre façon d'envisager la vie. L'initiative naît à l'intérieur de nous. Des mois peuvent passer avant que l'on trouve suffisamment de forces intérieures pour compléter ce cercle mais cela peut se faire par les forces que l'on a à l'intérieur. »

Je n'ai rien perdu de moi-même

« Il semble que le dessin de ces cercles et leur effacement n'est pas une bonne image de ce qui se passe dans une relation ni dans la perte de cette relation. Peut-être faudrait-il plutôt représenter ces cercles comme étant cousus ensemble et au cours de la perte, c'est seulement ce qui dépasse du cercle qui a été découpé.

Cela signifierait que votre vie a été renforcée de façon permanente par votre relation avec la personne que vous avez aimée. Ce que vous avez donné dans votre relation n'a pas été perdu car l'amour ne diminue pas quand on en donne. L'amour de la personne qui n'est plus fait encore partie de votre vie. Vous êtes plus riche parce que vous avez partagé votre vie avec cette personne particulière. »

On est tellement vulnérable

Au moment où je pensais avoir entendu toutes les explications possibles et impossibles au dessin de mes cercles, j'ai rencontré une femme qui m'en a donné une nouvelle.

« Si c'était moi qui avais effacé le cercle, je l'aurais effacé au complet. Le reste du second cercle ressemblerait à un gros C. Quand mon mari est mort, je me suis sentie ouverte à tous vents. Je suis devenue vulnérable et anxieuse. J'avais peur. La personne qui me protégeait n'était plus là. Il n'y avait plus personne pour prendre soin de moi. Ce gros trou béant laisse entrer beaucoup de choses qui me font mal mais je suis trop faible pour les chasser. Il va me falloir beaucoup de temps pour que cette plaie se referme. »

À votre tour

En lisant ces interprétations, il est possible que vous ne soyez totalement d'accord avec aucune d'entre elles. Votre désaccord peut signifier que vous en êtes à une étape différente dans votre guérison. Cela pourrait vous faire du bien d'écrire votre propre interprétation une fois par mois pendant un an.

À force d'écouter les gens discuter au sujet de ces cercles, j'ai réalisé que la plupart d'entre eux luttent pour reconstruire leur estime personnelle qui a été brisée. Ils cherchent une nouvelle identité et ont de la difficulté à la définir. L'interprétation de ce dessin est plus positive si l'estime personnelle et l'identité sont fortes. Certaines interprétations reflètent les moments difficiles et cruciaux de la réorganisation, d'autres montrent que l'individu est en train d'achever la guérison de son chagrin.

Dans la majorité des cas, les personnes chagrinées que j'ai rencontrées sont devenues, pour avoir passé à travers la douleur de leur perte, des êtres d'une plus grande beauté. La substance de leur caractère est devenue plus dense. Elles ont découvert un sens beaucoup plus large de leur valeur personnelle en tant qu'enfants de Dieu.

Un exercice

Les groupes auxquels je m'adresse renferment souvent des personnes charmantes et pleines de talent mais qui ont l'impression néanmoins d'être des riens du tout, effondrées qu'elles sont sous leur chagrin. Il m'arrive de vouloir les prendre par les épaules et les secouer. Bien sûr, là n'est pas la solution et cela ne ferait que compliquer les choses. J'ai préféré imaginer un exercice conçu pour restaurer leur confiance en elles-mêmes.

En haut d'une feuille, je demande aux participants d'écrire :

« Je suis très spécial (e) »

Puis je les encourage à faire la liste de toutes leurs qualités. S'ils trouvent cela difficile, je leur demande de rechercher l'aide d'un bon ami. Puis chaque participant doit lire sa liste au groupe qui va la compléter avec ses commentaires et ses impressions. Après quoi, nous fêtons tous ensemble chaque personne présente et nous nous réjouissons de ses bons côtés.

Je demande à chacun d'encourager les autres. Pourquoi ne pas dire :

« Jim, tu es vraiment gentil.

– Mary, je crois que tu as beaucoup de sagesse.

– Oh ! tu dégages tant de chaleur, Linda ! Que cela nous encourage !

– Je suis tellement heureux que tu sois dans ce groupe, Paul. Tu me facilites les choses et je me sens plus en sécurité. »

La dernière partie de l'exercice consiste à élaborer une série de buts en fonction des belles qualités de chacun. Mon souvenir préféré est celui d'une artiste qui s'était fixée comme but à court terme de prendre un cours de perfectionnement de peinture à l'huile et comme but à long terme d'enseigner ce cours dans un centre d'art. Elle était sur la bonne voie pour réparer son cercle brisé.

QUELQUES EXERCICES UTILES

1) Faites l'exercice du cercle brisé pour vous-même.

2) Écrivez vos points forts et fixez-vous des buts à court et à long termes. Voyez comment vous allez pouvoir réaliser vos plans.

3) Demandez à un ami de vérifier vos points forts. Demandez-lui de voir si vous en avez oublié un ou plusieurs.

11

Le chagrin dans le couple

John et Cindy étaient à la croisée des chemins dans leur mariage. Cindy avait déserté le foyer conjugal pendant que John était en voyage d'affaires. Après des semaines de négociations, John l'avait convaincue de revenir à la maison mais ils savaient tous les deux qu'ils avaient besoin d'aide pour sauver leur mariage.

Le conseiller matrimonial eut assez de sagesse pour faire un relevé des pertes que John et Cindy avaient subies avant que ne débute la thérapie. L'histoire de leur vie démasqua la cause de leur problème. Cinq ans auparavant, ce couple avait mis au monde un premier enfant qui mourut dans les heures qui suivirent sa naissance.

John venait d'une famille qui mettait son honneur à être « forte » dans les crises. Exprimer ses sentiments était considéré comme une faiblesse et une trahison de la tradition familiale.

Cindy était issue d'une famille expressive et spontanément chaleureuse. Quand quelque chose dérangeait Cindy, elle en parlait librement.

Lorsque son bébé est mort, John barricada ses sentiments au plus profond de lui-même. Il refusa d'écouter Cindy qui avait besoin de parler de sa tristesse et de son chagrin. Sa philosophie était : Évitons d'en parler et ça va disparaître.

Cindy avait besoin de la tendresse de John. Elle aurait voulu pleurer et parler dans ses bras mais ses bras ne s'ouvrirent pas pour elle. Elle se mit alors à se promener chaque jour dans les champs et les forêts de leur ferme. Elle pleurait et parlait aux oiseaux et aux fleurs sauvages. Mais... plus elle pleurait et parlait aux marguerites et aux oiseaux noirs, plus elle se mettait en colère contre John.

De son côté, John s'enfonçait chaque jour davantage dans sa douleur et il se sentait de plus en plus enragé à l'intérieur de lui. Et lorsqu'il était fatigué et qu'elle le provoquait, il devenait violent envers elle.

Après cinq ans de ces comportements, John et Cindy attribuèrent l'impasse de leur mariage à d'autres facteurs. Leur conseiller les aida à identifier la cause première de leur relation mouvementée à leur incapacité de guérir de leur chagrin *ensemble*.

Être mari et femme offre le privilège de partager des douzaines d'activités, d'idéaux, d'intérêts et de rêves. Un homme et une femme mariés ont le privilège de vivre ensemble les moments intimes et sacrés de la conception. Ils fêtent ensemble les anniversaires de naissance et les anniversaires de mariage. Même des petites choses sans importance ni signification spéciales peuvent entraîner chez des amoureux une complicité particulière. Mais la mort, c'est différent. Lorsque son spectre apparaît, on n'arrive plus à partager avec l'autre, à soutenir l'autre. Le refus de l'un ou l'autre de s'ouvrir et de parler ouvertement est mal compris. Le désappointement devient du ressentiment. Le ressentiment se transforme en colère ouverte. Le mariage titube sous les coups de la méfiance.

Tous les aspects du mariage sont attaqués par le chagrin. Voyons cela de plus près.

L'aspect spirituel

Une amitié avec Dieu est le fondement d'un bon mariage. Dieu est la source de l'amour. Quand l'amitié d'une personne pour Dieu s'effiloche, le flot de l'amour qu'il déverse s'amoindrit. Ce mariage ne reçoit plus assez d'amour.

La perte d'un être aimé est souvent suivie par la perte de la foi. Le sentiment que Dieu nous aime et qu'Il est présent dans notre vie s'amenuise. On peut se sentir rejeté de Dieu et s'écrier :

« Mon Dieu, pourquoi m'as-Tu abandonné ? »

Il peut être très effrayant d'entendre son conjoint dire :

« Je n'arrive plus à prier. En ce qui me concerne, je ne suis plus du tout intéressé par Dieu. Il m'a laissé tomber. Pour moi, c'est fini. »

Le mari et la femme perdent parfois la foi en même temps. On ne peut pas dire que cela soit le signe d'un écart spirituel volontaire. C'est plutôt la conséquence des sentiments profonds qu'ils ont d'être abandonnés. Les sermonner, les gronder va approfondir leur sentiment d'être rejetés. Seule une attitude de loyauté, d'amour et de soutien écourte la perte de la foi.

Quand quelqu'un se sent coupé de Dieu alors qu'il souffre d'un chagrin, il a besoin d'être aidé par une personne qui n'a pas peur d'entrer dans sa douleur. Je pense à Mr Howell. Il faisait partie d'un groupe de soutien pour personnes atteintes d'un cancer. Voilà son histoire telle qu'il me l'a racontée.

Son médecin était entré dans sa chambre d'hôpital et lui avait annoncé sans ménagement que son diagnostic était confirmé : Il avait un cancer. Déjà, des métastases avaient envahi tout son corps. Le pronostic était très sombre.

À cette nouvelle, Mr Howell avait ressenti une telle colère qu'il put à peine se retenir. Il était en colère contre Dieu. Il se sentait abandonné par Lui et ne voulait plus rien savoir de Lui. Après le départ de sa famille ce soir-là, il avait éteint sa lumière, il s'était tourné contre le mur et il avait pleuré sa colère.

Une infirmière entra alors sur le pas de sa porte et lui demanda :

« Ça va, Mr Howell ?

– Oui, répondit-il sèchement.

– Pleurez-vous ? insista-t-elle.

– Non, lui cria-t-il très fâché. »

L'infirmière aurait pu s'en aller et laisser Mr Howell souffrir tout seul. Elle ne le fit pas. Elle entra dans sa chambre, s'assit à la tête de son lit et lui tint la main.

« C'est correct, Mr Howell, de pleurer quand on sait qu'on va mourir comme ça. Nous les infirmières, nous pleurons aussi quand nos patients ne vont pas bien. C'est normal aussi d'être en colère. Nous les infirmières, nous sommes aussi en colère quand nos patients meurent. Si vous le voulez, je vais rester ici. Je vais vous écouter aussi longtemps que vous aurez besoin de parler. »

Mr Howell me regarda et fit cette déclaration profonde :

« Je savais que cette femme en blanc était une infirmière, mais pour moi, elle ne l'était pas vraiment. Non, c'était Dieu qui était assis sur mon lit. Il était en train de me rassurer et de me dire que même si je me sentais seul et abandonné, Il était toujours avec moi. »

Cet homme a découvert que la foi peut être restaurée quand un ami est prêt à écouter sans condamner. Sa perception spirituelle a été éclairée par une démonstration humaine de l'amour de Dieu.

L'aspect amitié

Jouer ensemble, travailler ensemble, planifier ensemble, rire et pleurer ensemble sont des moyens de construire et de maintenir une amitié dans le mariage.

Au cours d'un chagrin aigu, ces activités communes perdent leur sens. Elles peuvent même devenir douloureuses. La joie et le rire disparaissent. La tonalité émotionnelle de la relation est à plat.

Si le mari et la femme reconnaissent ensemble que la joie a disparu et que c'est normal, leurs exigences réciproques seront plus réalistes.

Le partage spontané de l'amitié s'arrête pendant un chagrin, mais aussi longtemps que le couple pourra se dire que ça ne durera pas, que c'est temporaire, son mariage n'en souffrira pas.

Un couple m'a raconté qu'il a eu l'impression de vivre à des kilomètres et des kilomètres l'un de l'autre pendant les dix premiers mois de son chagrin. Les sourires et les moments de joie furent rares. Puis un jour, alors qu'ils lavaient tous les deux la vaisselle, le mari se plaça derrière sa femme et la chatouilla. Elle sursauta et s'enfuit loin de lui. Il la poursuivit et ils se retrouvèrent au salon riant et s'embrassant sur le divan. Les joies de l'amitié avaient survécu à la noirceur du deuil.

L'aspect émotionnel

Dans une amitié, on découvre quels sont les besoins émotionnels de l'autre. Quand les besoins émotionnels du mari et de la femme sont comblés, le mariage est satisfaisant.

Le chagrin attaque l'amitié. Les besoins émotionnels ne sont plus comblés. La plupart des gens qui ont un chagrin deviennent très dépendants des autres mais en même temps, ils se retournent sur eux-mêmes. Leurs émotions sont bouleversées. L'autre partenaire, obligatoirement, se sent négligé.

En temps normal, il est impossible que le mari ou la femme comble tous les besoins de l'autre. Pourquoi exiger cela en temps de deuil?

Il faut faire appel à des amis proches, des parents, un pasteur, un conseiller ou un groupe de soutien au début d'un chagrin! Il ne faut pas rechercher de l'aide en secret. Votre conjoint doit savoir pourquoi vous cherchez de l'aide et auprès de qui. Plus cela se fait tôt et vite, mieux l'équilibre du mariage sera préservé.

L'aspect communication

Les conseillers matrimoniaux insistent beaucoup sur l'importance d'une bonne communication dans un mariage. Une bonne communication est difficile à maintenir en tout temps. Il faut constamment l'entretenir et faire les ajustements nécessaires.

Malheureusement, le chagrin attaque profondément la communication. Il est très tentant de se renfermer sur soi-même et de ne pas parler de peur d'augmenter le chagrin de l'autre. Parler peut aussi empirer l'état de la personne qui souffre : serrements de cœur, crises de larmes, affreux maux de tête. Le silence peut sembler être ce qu'il y a de plus sage.

Parfois, l'expression des sentiments provoque des remontrances, des accusations, des condamnations. Cela interrompt automatiquement la conversation qui meurt et ne renaît souvent jamais.

Permettez-moi de vous suggérer quelques règles à suivre pour favoriser la communication dans le couple :

Règle #1 : Voyez si et quand votre conjoint est prêt à vous écouter. Si ce n'est pas le cas, fixez un moment qui lui conviendra dès que possible.

Règle #2 : Veillez à ne pas trop parler quand il est tard ou quand l'un des deux est fatigué.

Règle #3 : Permettez à votre conjoint de dire tout ce qu'il ressent sans analyser ses sentiments.

Règle #4 : Soyez affectueux l'un envers l'autre pendant vos conversations. Si la tristesse vous envahit, serrez-vous l'un contre l'autre.

Règle #5 : Si votre conjoint n'a pas grand chose à dire, acceptez son silence.

Règle #6 : Si votre conjoint exprime de la colère, ne la prenez pas sur vous et ne pensez pas qu'elle est contre vous.

L'aspect social

Tout mariage a besoin d'avoir une ouverture sur la société. Rencontrer d'autres personnes est un moyen sain de combler certains besoins que le conjoint ne peut pas combler car personne sur cette terre n'a la capacité de remplir tous les besoins d'un autre être humain. S'ouvrir sur les autres est aussi un moyen important d'éviter de se replier sur soi. Dieu a voulu que l'influence du foyer soit un levain positif dans la société.

Mais au cours d'un chagrin, on a tendance à se tenir à l'écart. Même les gens très sociables, quand ils souffrent, ne désirent plus se retrouver en groupe. Ils ont l'impression de n'avoir plus rien à dire, de ne plus savoir quoi dire. Ils ont peur de déranger et peur de ne pas pouvoir se contrôler en public. Et pourtant, c'est quand on souffre que l'on a le plus besoin des autres.

Un couple chagriné n'a plus envie de sortir car il est épuisé physiquement et psychologiquement. Cet épuisement affaiblit encore plus sa capacité de maîtriser ses larmes et ses sanglots et il ne désire pas vivre une telle gêne quand tout le monde semble heureux et dégagé de tout souci.

Bien sûr, si un couple sort moins, cela veut dire qu'il passe plus de temps ensemble à la maison. Les nerfs qui sont déjà à fleur de peau le deviennent encore plus. On se dispute et on se bagarre plus que jamais. Le mariage est appelé à en souffrir.

Je suggère au couple d'avoir, au cours de la première année de son chagrin, une vie sociale simple : Les invitations doivent être peu nombreuses et ne pas s'étirer. N'acceptez d'invitations que de personnes que vous connaissez bien et avec qui vous êtes à l'aise. Convenez ensemble que l'un ou l'autre peut écourter la visite s'il le désire. Soyez sûr, au départ, d'être tous les deux d'accord et heureux d'accepter une invitation particulière.

L'aspect physique

Par aspect physique, nous pensons au toit, aux vêtements, à la nourriture et aux petits extras nécessaires au bien-être mutuel.

Le chagrin transforme parfois l'environnement physique. La femme se néglige. Elle ne se coiffe plus et ne s'habille plus comme à l'habitude. Elle ne fait plus le ménage, ne prépare pas les repas avec le même soin.

Le mari ne se rase plus quand il ne va pas au travail. Il ne tond plus le gazon. Il ne fait plus les réparations dans la maison. Son atelier si ordonné est maintenant tout à l'envers.

Il n'y a plus d'énergie, plus de motivation. L'un ou l'autre, et souvent l'un et l'autre, s'en fiche. Plus rien n'a de sens. On hausse les épaules et l'on se dit : « À quoi bon ? »

Le couple qui vit un chagrin doit se détendre. Il est inutile de trop attendre l'un de l'autre. Si les choses ne se font pas tout de suite, ne vous inquiétez pas. Dites-vous qu'il n'en sera pas toujours ainsi.

Il est plus important de parler ensemble, de dire ce que l'on ressent – même si cela prend du temps – et de se décontracter que de faire du ménage.

Se fâcher à cause de la pelouse ou de la lessive qui ne sont pas faites va contribuer à ériger un mur entre deux personnes qui ont besoin de se rapprocher plus que jamais.

De bons voisins et une église active peuvent vraiment aider un couple qui souffre en le déchargeant de certains travaux domestiques.

L'aspect sexuel

Imaginez le mariage comme un bâtiment. Il est alors facile de comprendre pourquoi l'aspect sexuel est dérangé au cours d'un chagrin. Quand les fondations d'un bâtiment craquent et glissent, des lézardes apparaissent. Quand le chagrin attaque les étages inférieurs du mariage, vous êtes sûr d'en ressentir les effets aux étages supérieurs. L'aspect sexuel est au sommet de la relation matrimoniale. Cet aspect est bouleversé par les frémissements que cause cette expérience traumatisante qu'est la perte de quelque chose ou de quelqu'un de cher.

Pour certains, la relation sexuelle peut être une source de réconfort en période de chagrin. Cela leur donne le sentiment d'être vivants, d'exister. D'autres sentent que c'est un moyen de donner à leur conjoint un peu de plaisir à une période de la vie où le plaisir est presque impossible à envisager.

Pour d'autres, le désir sexuel meurt en période de chagrin. Ils ressentent que la relation sexuelle est une insulte à la personne qui n'est plus. Ils ne voient pas comment ils pourraient se permettre d'avoir du plaisir sexuellement quand un être cher a perdu la vie. Ils ne font que tolérer la relation pour le bien de l'autre.

Lors d'un chagrin, il faut se rappeler que la sexualité est plus que l'acte sexuel. Des actes de bonté inattendus envers votre conjoint susciteront chez lui de très forts sentiments d'appréciation. L'usage fréquent des mots « je t'aime » lui permettra de sentir qu'il est encore une personne à part entière. Quand l'un des deux pleure, le serrer dans ses bras avec tendresse, unira les deux et les amènera à être un. Des bises et des accolades spontanées au cours de la journée allégeront le fardeau du chagrin. Faire une promenade main dans la main témoignera de votre affection profonde.

Si votre conjoint a des problèmes avec l'aspect sexuel de votre mariage, soyez tout simplement aussi patient que vous l'avez été avec d'autres aspects. Votre patience apportera une meilleure qualité à cet aspect de votre mariage ainsi qu'à tous les autres.

Il faut dissiper le mythe qui veut qu'une perte rapproche un mari et sa femme. Toute perte est une

source de tension énorme dans n'importe quelle relation. Si le mariage était branlant avant la perte, il le
sera encore plus après et même un mariage fort n'est
pas à l'abri de graves périls. Surveillez les petites
fissures dans l'équilibre de votre mariage et n'hésitez
pas à rechercher de l'aide professionnelle.

J'en suis venu à la conclusion que la guérison
après la perte d'un enfant n'est jamais totale. Il y aura
pour toujours un vide dans le cœur du parent. Et
quand un père et une mère sont assis à table et qu'ils
se regardent dans les yeux, l'un et l'autre voient chez
l'un et l'autre une personne blessée dont la vie a été
imprégnée de souffrance.

Une gentillesse et une sensibilité soutenues
auront un effet progressivement curatif : Vous vous
rapprocherez l'un de l'autre en faisant des sorties
spéciales et en planifiant d'agréables surprises. En
exprimant votre appréciation et votre approbation,
vous annulerez les sentiments d'inutilité et de nullité
qui surviennent toujours après une perte.

Quand l'aigu de la douleur se sera un tant soit
peu dissipé, il faudra constituer une nouvelle banque
de souvenirs. Faites ce long voyage que vous avez toujours voulu faire ! Planifiez quelques activités roman-
tiques. Prenez le temps de jouer ensemble. À la longue, vous arriverez à penser à autre chose qu'à votre
perte.

Nous sommes tous modelés par les événements
de la vie quotidienne. Cela veut dire que d'une façon
subtile nous changeons chaque jour. Chaque matin,

nous nous réveillons une personne « différente ». Cela est particulièrement vrai quand nous perdons un enfant. L'adaptation à un changement aussi radical prend du temps. Si vous savez conserver à travers cette épreuve de la tendresse et de la compréhension, votre mariage deviendra pour vous une bénédiction. Oui, il y aura des passages dangereux et difficiles mais vous les surmonterez et vous atteindrez des sommets d'unité plus profonde.

QUELQUES EXERCICES UTILES

1) Si vous êtes marié(e), demandez à votre conjoint(e) de passer un moment avec vous à discuter de vos besoins personnels. Dites comment vous pensez qu'il (ou elle) pourrait les combler. Que votre conjoint(e) fasse la même chose. Étudiez ensemble les aspects du mariage décrits dans ce chapitre.

2) Faites une liste des choses que vous aimeriez faire pour encourager votre conjoint qui a un chagrin.

3) Si vous connaissez un couple marié qui s'est bien adapté à une perte, demandez-lui de vous donner son secret.

12

Le chagrin dans la famille

J'ai accompagné de nombreuses familles à travers les longs mois de leur deuil. Il n'y a pas deux familles qui se ressemblent. Les différences de culture, de coutumes et de traditions religieuses entraînent d'une famille à l'autre, des réactions variées qu'il faut respecter ; mais je crois qu'au sein d'une même famille, la clé de la guérison est aussi de respecter les différences individuelles dues aux divers types de personnalité.

L'unité familiale s'affaiblit et s'écroule quand on exige que tous les membres de la famille s'affligent de la même manière ou à la même vitesse.

Beaucoup de gens souffrent de pertes multiples mais, en face de la perte immédiate, on perd cette réalité de vue. Des pertes antérieures non résolues peuvent embrouiller l'adaptation à la perte présente. Si l'on ignore ces complications, le feu va couver sous la cendre jusqu'à ce que l'unité familiale soit ébranlée.

Voici un exemple de ce problème sérieux. Une femme venait de perdre son père. Elle fit une crise d'hystérie à l'hôpital où son corps reposait encore. Ses frères et sœurs critiquèrent fortement sa réaction qu'ils jugèrent excessive car ils savaient tous qu'elle n'était pas particulièrement proche de son père. Leur attitude l'amena à se couper d'eux.

Cette femme avait fait une fausse couche six mois avant que son père ne meure et trois ans auparavant, elle avait perdu sa mère qu'elle aimait beaucoup. Elle ne s'était jamais permis de croire à sa mort. Bien entendu, ses frères et sœurs ignoraient tout cela.

Les membres d'une famille devraient comprendre qu'habituellement, chaque famille a sa personne à haut risque. Si un membre de la famille a un comportement hystérique ou n'exprime pas ou très peu d'émotion, ou démontre une très forte dépendance envers la personne qui est morte, ou manifeste une très forte colère ou une très grande amertume, ou développe de profonds sentiments de culpabilité, si cette personne a déjà eu de la difficulté à s'adapter à une perte ou a déjà eu des problèmes émotionnels, cela est un indice qu'elle a besoin d'aide et non de critiques.

Les personnes à haut risque peuvent tomber en dépression profonde si on ne leur offre pas le soutien nécessaire. Il faut obligatoirement leur donner une aide immédiate et cette aide ne doit pas leur être retirée avant longtemps.

Une personne qui a un chagrin ne devrait jamais se sentir coupée de sa famille. À cette fin, il est important de faire connaître et de suivre certaines règles pour faciliter l'adaptation de tous et chacun et empêcher l'isolement.

Les règles

1. Si vous avez besoin de temps et d'espace pour être seul et tranquille, faites-le savoir à votre famille. On vous donnera du temps et de l'espace.

2. Si vous avez besoin de présence, de contact physique ou d'attention concentrée, faites-le savoir à votre famille. Vous recevrez des moments d'intimité.

3. Vous n'avez pas besoin de cacher votre peine ou de pleurer tout seul. Quand les larmes brûlent vos yeux, vous pouvez pleurer avec un membre de votre famille.

4. Réunissez la famille périodiquement pour évaluer les projets de chacun. Ne prenez pas pour acquis la guérison.

5. Les congés et les anniversaires au cours de la première année seront des événements où l'on prendra le temps de parler de la personne qui manque. Il faut s'attendre à de la tristesse, mais il faudra aussi planifier de

faire quelque chose de joyeux en tant que famille.

6. Des éclats et des sautes d'humeur pourront être causés par l'accumulation graduelle d'une tristesse inexprimée. Essayons de ne pas se sentir visé.

7. Vous pouvez vous adapter à la perte plus tôt que les autre membres de la famille. Soyez patient. Chacun vit son chagrin à son rythme.

8. Si votre famille n'arrive pas à combler vos besoins, sentez-vous libre de chercher de l'aide à l'extérieur du cercle familial. Tous les membres de la famille souffrent fortement. Il est donc difficile pour eux de s'occuper des autres.

9. Rappelez-vous que les autres membres de la famille souffrent autant, sinon plus, que vous. Traitez-les avec tendresse.

10. Le monde va oublier votre perte assez vite. Le soutien des autres va vous être retiré bientôt. Que cela ne vous rende pas amer. Rapprochez-vous de votre famille.

Les enfants et le chagrin

Au cours d'une grande perte, on oublie très souvent les enfants. On dit et on pense couramment qu'ils sont trop petits pour comprendre. Oui, ils sont peut-être trop petits pour comprendre toutes les ramifications d'une perte, mais ils ne sont pas trop petits pour en ressentir les émotions.

À 17 ans, Mary venait tout juste de recevoir son permis de conduire. Elle était allée faire quelques courses et sur le chemin du retour, une jeune femme droguée quitta sa voie et la frappa de plein fouet. Mary fut tuée sur le coup.

Les parents de Mary décidèrent de ne pas parler de sa mort à sa petite sœur Sara qui avait quatre ans. Ils engagèrent une gardienne pour rester avec elle pendant les funérailles car, comme ils se disaient, « elle était trop petite pour comprendre ».

La gardienne demanda à Sara de prendre sa douche : C'était l'heure de l'histoire puis du dodo. Soudain, la gardienne sursauta en entendant de terribles cris en provenance de la douche. Elle accourut et vit la petite fille sous l'eau, hystérique, secouée de sanglots profonds. Sara fut incapable de dire pourquoi elle pleurait, mais dans son cœur, elle avait la certitude que quelque chose de terriblement grave était arrivé.

Puis, pendant des mois, Sara se comporta mal à la maison. Elle se replia sur elle-même. Ses parents ne relièrent jamais son mauvais comportement à la mort de sa grande sœur. À 8 ans, Sara voyait un psychologue régulièrement ; il lui apprit la mort de sa sœur. Sa guérison fut lente.

John Bowlby, un psychiatre anglais, a fait de sérieuses recherches sur les enfants et le chagrin. Il croit qu'il reste beaucoup à faire dans ce domaine

mais il est convaincu que les enfants, de 6 mois à l'ado-
lescence, réagissent aux pertes comme les adultes. En
fait, les enfants risquent même d'être plus sensibles
encore aux circonstances qui précèdent, entourent et
suivent une perte majeure.

La façon dont un enfant va réagir à une perte
est influencée par son âge chronologique et sa maturité émotionnelle, mais son environnement a une plus
grande influence encore, j'entends par là ce que l'on
dit à l'enfant.

Voilà ce que j'ai entendu à un enterrement : Un
petit garçon demandait pourquoi sa mamy était morte.
Un homme qui se tenait là, à côté de lui, dit :

« Garçon, ta mamy est morte parce que Dieu
avait besoin d'un autre ange. »

Le petit garçon fut profondément troublé par
la pensée que Dieu avait pris sa seule et unique mamy
alors que Son ciel était déjà rempli d'anges...

La façon dont on parle à l'enfant donne aussi
le ton à son chagrin. Plus on utilise d'euphémismes,
plus l'enfant va souffrir longtemps car il risque de
vraiment mal interpréter des termes comme « il dort »
ou « elle est partie ». Certains enfants ont alors peur
d'aller au lit croyant qu'ils vont eux aussi mourir ; ou
ils sont très anxieux quand quelqu'un part en voyage
pensant qu'il ne reviendra pas.

Il faut aussi cesser de cacher une mort à
l'enfant avec l'intention de ne la lui révéler que plus
tard. Cela aussi prolonge son chagrin inutilement. De

toute façon, on ne veut pas dire à l'enfant que son grand-père (ou sa grand-mère) est mort, mais les expressions de tristesse en disent très long. Certains enfants sont gardés dans l'ignorance de la mort d'un proche pendant des mois et lorsqu'ils finissent par l'apprendre, tout le monde est déjà guéri de son chagrin. Ces enfants sont alors seuls à vivre leur peine.

Les enfants osent montrer leur chagrin quand leur relation avec la personne disparue a été réconfortante, positive, affectueuse. Par contre, si leur relation a été médiocre, ils ont l'habitude de se blâmer pour sa mort.

Les enfants sont aussi énormément influencés par les adultes qui les entourent. Il est difficile pour un enfant de guérir de son chagrin quand ceux-ci ne lui parlent pas de la mort, ne lui montrent jamais leurs émotions ou sont insensibles à ses réactions personnelles.

Eddie était un de ces enfants. Son père était mort dans l'incendie de leur maison deux ans avant que je le rencontre. Sa mère avait été incapable de parler de la mort de son père à son fils. Très rapidement, elle avait rencontré un autre homme. Comme elle devait l'avouer plus tard, cela était plus facile que de faire face à l'atroce réalité. Et Eddie avait dû se débrouiller tout seul dans un foyer où il n'y avait pas de communication.

Sa mère m'amena Eddie parce qu'il se bagarrait avec les enfants du quartier et aussi avec ceux de sa classe à l'école primaire. Elle voulait que je m'occupe de résoudre son problème de colère.

C'est ainsi qu'Eddie se retrouva dans mon bureau, assis au fond de sa chaise. Il était si petit que je voyais les semelles de ses souliers. Il avait l'air d'un chiot abandonné. Je n'eus pas le cœur de le laisser dans cette grande chaise. Je lui souris et lui tendis les bras. Deux secondes plus tard, il était assis sur mes genoux.

« Eddie, ton père est mort dans l'incendie de votre maison. Peut-être qu'on pourrait en parler ensemble ?, lui dis-je.

– Pouvez-vous me lire une histoire ?, me demanda-t-il.

– Écoute, Eddie, si tu me parles de ton papa pendant 5 minutes chaque fois que tu viens à mon bureau, je te lirai des histoires dans les grands livres qui sont dans ma bibliothèque. Et c'est toi qui choisiras l'histoire. »

Eddie se raidit. Puis il se mit à parler à une vitesse effroyable.

« Vous savez quoi, Lawrence ? Je suis un grand avion et j'ai d'énormes, d'énormes bombes à eau dans ma carlingue. J'ai volé au-dessus de la maison quand elle brûlait et j'ai lancé les bombes sur la maison et j'ai éteint le feu puis j'ai atterri et je suis allé sauver mon père et il n'est pas mort ! Oui, je vous le dis, Lawrence, j'ai éteint le feu ! »

Je n'ai pas contredit Eddie. Il avait besoin de ces fantasmes pour nier ce qui était arrivé jusqu'à ce qu'il puisse accepter la mort de son père. Je l'ai tout simplement laissé glisser par terre et il est allé choisir son histoire.

Semaine après semaine, nous nous sommes souvenus de toutes les choses agréables qu'il faisait avec son père. Au bout d'un mois, il était capable de me dire pendant quelques toutes petites minutes ce qu'il ressentait par rapport à la mort de son père. Pendant la plus grande partie de nos séances, nous parlions de science-fiction. Ici et là, de temps en temps, j'arrivais à glisser quelques idées sur la façon de résoudre son problème de colère. Je savais que si Eddie pouvait vivre son chagrin suffisamment longtemps, sa colère s'apaiserait. Et c'est ce qu'elle fit. Un jour, Eddie me dit :

« Devinez, Lawrence. Je ne me bats plus à l'école avec les enfants. Quand je pars pour l'école le matin, je dis à la colère de se mettre derrière la porte et de rester là, jusqu'à ce que je revienne. Et elle m'obéit ! Je ne me bagarre plus à l'école. Mais quand je rentre, je dis à la colère de sortir et je vais avec elle dans la rue pour me bagarrer avec les enfants du quartier. »

Nos petites sessions de 5 minutes s'étirèrent à 15 minutes. Eddie dit au revoir à plein de choses que son père et lui avaient l'habitude de faire ensemble. Il se mit à tirer des plans pour devenir aussi bon que son père et réussir comme lui.

Après 6 mois de rencontres, le petit Eddie de huit ans a cessé de se battre avec les enfants du voisinage. Ses notes se sont améliorées. Il était à nouveau un petit garçon heureux.

Cinq ans plus tard, je déménageai et quittai la communauté d'Eddie. Le grand camion de déménagement était stationné dans mon entrée, tout chargé de nos biens, quand j'entendis deux chevaux galoper sur la route. Je regardai par la fenêtre et les vis entrer sur ma propriété. Les cavaliers descendirent de leur monture et vinrent à ma rencontre en courant. C'était Eddie et sa petite sœur:

«Lawrence, vous allez nous manquer. J'ai appris que vous déménagiez et je suis venu vous remercier de m'avoir aidé avec la mort de mon père. Bien… il faut que nous ramenions ces poulains à l'écurie!»

J'avais la gorge serrée et les yeux remplis de larmes en regardant ces deux enfants sortir de mon allée… Mais ils ne sont pas sortis de ma vie. Je pense souvent à eux. Je suis heureux d'avoir pu être là pour Eddie à un moment où sa mère en était incapable.

Les enfants ont besoin de beaucoup de gestes d'affection. Ils ont besoin d'être constamment rassurés de mille et une façons et de savoir que leurs besoins seront comblés. Si un enfant a perdu un parent, il faut qu'un petit nombre de personnes stables prennent soin de lui d'une manière prolongée. Il est mauvais de faire passer l'enfant d'une famille à l'autre au risque d'entraver fortement la guérison de son chagrin.

Si un enfant ne peut pas compter sur une amitié sincère et intime au début de son chagrin, il va fort probablement adopter des comportements pour l'aider à s'en sortir tout seul mais ils seront destructeurs. Cet enfant aura tout au long de sa vie de la difficulté à accepter et à surmonter ses pertes.

Je suis très inquiet du manque d'unité dans la famille occidentale. Je crains que beaucoup d'enfants qui subissent une perte aujourd'hui, connaîtront demain de grandes difficultés tout simplement parce qu'ils n'auront pas reçu de leur famille le soutien nécessaire. En fait, combien de mes clients sont des adultes encore en colère de l'abandon ou du rejet qu'ils ont subi pendant leur enfance !

Stéphanie, 16 ans, venait d'entrer dans mon bureau à l'école où je dirigeais une semaine de réveil spirituel :

« Dites-moi, Mr Yeagley, peut-on être amoureux à 12 ans ?

– Je ne sais pas si cela peut être le cas pour tout le monde, dis-je, mais pour ma part, j'étais amoureux fou à 12 ans. Puis nous avons déménagé et Louise a déménagé aussi. Nous nous sommes écrits pendant des années. Finalement, notre relation à distance s'est essoufflée et nous avons l'un et l'autre épousé quelqu'un d'autre.

– Ça, c'est chic ! Je peux alors vous parler. Vous voyez, je suis tombée amoureuse de Martin quand nous avions l'un et l'autre 12 ans. Un jour, nous revenions de l'église en groupe. Martin m'a prise à part et m'a entraînée vers un très grand chêne. Là, il a tiré de sa poche une petite boîte et dans la boîte, il y avait une bague, une bague de fiançailles. Il m'a dit qu'il voulait me marier mais qu'il savait très bien que nous devions attendre d'être plus vieux. Il m'a dit de garder cette bague dans un endroit secret pour me rappeler que nous allions nous marier.

– C'est excitant cela Stéphanie, dis-je.

– Le reste de l'histoire ne l'est pas, répondit-elle. Deux semaines plus tard, Martin m'a téléphoné un vendredi soir pour me demander de venir chez lui. Il m'a dit qu'il avait besoin de moi. J'aurais pu m'échapper par la fenêtre de ma chambre mais je ne voulais pas risquer d'être en mauvais termes avec mes parents. Je me suis donc couchée. Le lendemain matin, le frère de Martin m'a téléphoné pour me dire que Martin s'était tué la veille au soir. Je suis allée à son enterrement et immédiatement après, mes parents m'ont envoyée dans ce pensionnat où je suis incapable d'étudier. Je pleure tout le temps mais personne ici ne sait pourquoi je suis triste et je n'étudie pas.

– Stéphanie, que je suis triste pour toi ! C'est trop de chagrin pour une fille de ton âge. Il faut dire tout cela à tes professeurs pour qu'ils puissent t'encourager. Je dois partir bientôt mais j'aimerais bien rester ici toute l'année pour t'aider, dis-je sincèrement.

– Oh ! Peut-être que je ne resterai pas ici longtemps moi non plus… Je viens juste de recevoir un appel de ma mère me disant qu'elle et Papa divorçaient. Je lui ai dit que je voulais rentrer à la maison mais elle m'a dit qu'elle n'avait pas assez d'argent pour mettre de l'essence dans la voiture. Je ne peux pas rester ici plus longtemps. Il faut que je rentre à la maison et que j'aide mes parents à rester ensemble.

– Fais tes bagages, Stéphanie, lui répondis-je, ma femme et moi allons te conduire chez toi cet après-midi. Je vais obtenir la permission de l'école. Tu as besoin d'être avec ta famille et avec des amis qui peuvent t'ouvrir leurs bras. Perdre ton fiancé et maintenant tes parents, c'est trop, beaucoup trop. J'expliquerai tout cela à ta mère quand nous arriverons chez toi.

Stéphanie et moi avons fait face à la froideur de sa mère. J'ai fait de mon mieux pour lui expliquer pourquoi j'avais ramené Stéphanie à la maison. Je l'ai suppliée de rechercher de l'aide professionnelle pour sa fille car sinon elle subirait les conséquences fâcheuses et prolongées de tant de pertes à la fois. Puis je retournai chez moi. Je n'ai plus jamais entendu parler de Stéphanie, mais j'ai passé des heures à penser à elle. Cela fait 20 ans de cela et je me demande encore si sa mère m'a pris au sérieux.

J'ai été instituteur pendant cinq ans, j'ai été pasteur pendant vingt ans et pendant treize ans, j'ai été aumônier d'hôpital. Au cours de toutes ces années, j'ai rencontré des tas d'enfants qui souffraient à l'intérieur d'eux-mêmes mais qui n'arrivaient plus à pleurer... Alors, ils se sont repliés sur eux-mêmes, ils ont fait des fugues, ils ont eu des phobies, ils sont devenus boulimiques, anorexiques ou hyperactifs, ils ont décroché de l'école. Combien j'ai vu d'enfants briser des objets et les mettre en pièces car c'est comme cela qu'ils se sentaient : brisés. Ces phénomènes sont courants chez les enfants qui ont perdu l'intimité de leur famille.

Une grand-mère est venue me consulter après la mort de son mari. Elle amenait toujours avec elle son petit-fils de 4 ans. Pendant que sa grand-mère parlait, Jeb explorait avec frénésie mes armoires. Il grimpait sur mes chaises et faisait rouler ses voitures à haute vitesse sur mon tapis.

Une fois, je pris Jeb sur mes genoux. Je lui ai demandé s'il aimerait me parler de son grand-père. Immédiatement, il me raconta que lui et son grand-père allaient à la pêche ensemble, qu'ils prenaient ensemble leur petit déjeuner «au restaurant Randy», qu'ils jouaient à la balle et allaient en camion ensemble. Il me parla de sa maladie et de sa mort. Jeb me dit qu'il avait pleuré quand son grand-père avait été enterré; des larmes coulèrent de ses yeux.

J'ai serré Jeb contre moi pendant quelques minutes puis il a glissé par terre pour jouer avec sa voiture. Il la roula de plus en plus lentement et soudain, il s'endormit profondément.

Au cours des visites subséquentes, Jeb et moi avions notre entretien particulier après quoi le petit garçon se recroquevillait sur le tapis près de ma chaise et s'endormait.

Jeb en a été la preuve pour moi: Les petits ont autant besoin d'attention que les adultes quand ils ont un chagrin.

Les adolescents et le chagrin

Les adolescents se caractérisent par leur très fort désir d'indépendance. Ce désir les empêche de se tourner vers les autres en période de chagrin. Ils vont aller jusqu'à nier qu'ils sont tristes pour demeurer à l'écart de leur famille.

J'ai travaillé avec des adolescents dont la conduite dérange les adultes : Escarmouches avec la loi, périodes de fugues, usage de drogues et d'alcool et école buissonnière sont des comportements qui cachent souvent un chagrin. Je me rappelle ce garçon de 16 ans qui, pour la troisième fois, venait de se faire arrêter pour vol à l'étalage. Il frappa du poing mon bureau et me cria en pleurant : « Je veux ma mère de nouveau. Je veux ma mère de nouveau. »

Il arrive que les adolescents se confient à leurs copains mais, en général, ils gardent leurs sentiments pour eux-mêmes. Ces sentiments troubles finissent souvent par se manifester par une conduite antisociale.

Notre aide doit être offerte avec gentillesse, détachement et sans aucun désir de confrontation. La personne aidante doit être patiente, amicale, sincère et désireuse de s'ouvrir à l'adolescent chagriné et de partager avec lui sa propre expérience.

Dans mes rapports avec des adolescents qui ont un chagrin, j'ai l'habitude de leur lancer plusieurs idées :

Premièrement : Vous aurez obligatoirement de forts sentiments douloureux.

Deuxièmement : Ces sentiments sont normaux.

Troisièmement : Avoir de tels sentiments ne signifie pas que vous manquez de maturité.

Quatrièmement : Moi aussi, quand je perds quelque chose ou quelqu'un, j'éprouve les mêmes sentiments.

Cinquièmement : Vous vous en tirerez mieux si vous pouvez partager ces sentiments avec quelqu'un d'autre.

Sixièmement : Je serai heureux de vous écouter mais si vous trouvez quelqu'un avec qui vous êtes plus à l'aise, cela ne me bouleversera pas.

Une telle approche ne menace pas leur indépendance. Robert et Andy avaient perdu leur mère dans un accident tragique. Quand ils vinrent me voir quatre mois plus tard, ils me parlèrent de hockey et de baseball. Ils faisaient partie de l'équipe de leur école. Je me suis joint à leur conversation pleine d'humour. Après deux sessions, ils avaient éprouvé ma patience ; par contre ils savaient qu'ils pouvaient me faire confiance car je ne m'étais pas imposé à eux en forçant l'expression de leurs sentiments. Ils acceptèrent finalement mon invitation à me parler de leur douleur.

J'ai été récompensé pour mon tact quand Robert, parlant pour lui et son frère, m'a dit :

« Nous vous remercions vraiment pour votre aide. Nous ne comprenions pas ce qui nous arrivait. Maintenant, nous le comprenons. Nous allons nous débrouiller à partir de maintenant mais si nous nous retrouvons dans un marasme, vous pouvez être sûr que nous allons revenir vous voir. »

Il peut être utile et bon de faire suivre aux étudiants des classes secondaires, des cours sur le deuil. Quand les étudiants comprennent ce qu'est le chagrin, ils ont moins tendance à fuir et à éviter leurs copains qui sont chagrinés. Le soutien de leurs camarades est très thérapeutique pour les adolescents.

Les personnes âgées et le chagrin

Il ne faut pas oublier de parler des membres âgés d'une famille qui, eux aussi, sont fréquemment ignorés quand survient une perte majeure. Ils se sentent alors rejetés et abandonnés.

Si les petits enfants ont besoin de caresses et de bises pour leur confirmer qu'on va continuer à s'occuper d'eux, il en est de même pour les personnes âgées. Pourquoi sourit-on aux bébés en les chatouillant alors que l'on touche rarement ceux qui approchent de la fin de leur vie ? Quand une personne âgée a un chagrin, elle a besoin d'intimité avec les siens. Elle a besoin de dire ce qu'elle ressent et de pouvoir raconter ses souvenirs au reste de sa famille.

Une famille endeuillée a besoin d'honnêteté et de franchise. Elle a aussi besoin de patience, surtout quand un membre du cercle décide de ne pas faire face à la réalité de sa perte immédiatement.

Certains enfants refusent de parler de leur parent mort. Le parent vivant voudrait bien en parler mais son enfant refuse carrément et cela peut durer des années. Le parent vivant peut alors dire à son enfant :

« Je ne te forcerai jamais à parler. Je veux seulement te dire que quand tu voudras, quand tu seras prêt, je le serai aussi. »

Il arrive que l'enfant se décide à parler quand le parent est déjà plus ou moins guéri de son chagrin. Dans ce cas, le parent ouvrira la conversation de cette façon-ci :

« Tu sais, j'ai beaucoup travaillé sur moi depuis notre perte. Si je ne pleure plus autant, ce n'est pas parce que je suis devenu(e) indifférent(e) ou insensible. Ne te fâche pas si mes sentiments ne sont pas aussi intenses que les tiens. Il était un temps où j'étais comme toi en ce moment, mais heureusement, jusqu'à un certain point, j'ai guéri. »

S'occuper d'une personne qui retarde son deuil exige beaucoup de patience et de tact mais en continuant à être honnête et pleine de franchise, toute la famille finira pas grandir et triompher de sa souffrance. Elle ne sera plus jamais la même après cette perte, mais il faut croire que les aspects positifs de la guérison pèseront plus que les aspects négatifs de la perte.

Jouer le rôle de l'absent

Il faut encore signaler un problème. Certaines familles donnent à ceux qui restent des rôles à jouer pour qu'ils remplacent le membre de la famille absent ou disparu. J'ai rencontré un homme et une femme qui s'aimaient depuis 40 ans et qui ne s'étaient jamais mariés parce que l'un et l'autre avaient un rôle à jouer dans leur famille respective. La mère veuve du monsieur lui avait arraché la promesse qu'il ne se marierait pas jusqu'à ce qu'elle meure. Sa mère lui avait donné le rôle du soutien de famille. La mère veuve de la femme lui avait donné le même rôle. Les deux mamans sont mortes presque en même temps. Le couple s'est finalement marié dans la soixantaine.

Ces tâches assignées dérobent aux enfants leur enfance et leur causent de la rancœur :

« Tu seras la grande sœur maintenant.

– À partir d'aujourd'hui, c'est toi qui seras l'homme de la maison. Il va falloir que tu t'occupes de couper le gazon et de rentrer le bois pour l'hiver.

– Je vais compter sur toi pour mes repas maintenant que Maman n'est plus là. »

Il arrive aussi parfois que ce soit un membre de la famille qui décide de lui-même de jouer un certain rôle pour lequel il n'a aucune compétence. Quand une famille a l'habitude de tenir des conseils de famille régulièrement, il est important qu'elle surveille cela et démasque une telle injustice.

Un jour, une maman a entendu son fils de 8 ans dire :

« Dorénavant, c'est moi l'homme de la maison. Je vais faire tout le travail que Papa faisait. »

La maman parla à son fils :

« Allen, je suis reconnaissante que tu veuilles bricoler et entretenir la maison. Tu es un bon garçon et je t'aime, mais je ne peux pas te permettre d'être le père. Je suis la mère. Tu es le fils et maintenant, il n'y a plus de papa. Mais nous sommes quand même encore une famille. Si je fais ma part pour être une bonne maman et si tu continues à être un bon garçon, nous allons faire une excellente famille. »

Après avoir perdu une petite fille de 2 ans, une famille a brusquement mis fin à toutes ses réunions habituelles : Repas de l'Action de grâce, soirée de Noël et anniversaires ont tous été annulés. Un membre de cette vaste famille ne l'a pas accepté. Il a décidé de réunir la famille contre sa volonté et s'est mis à inventer toutes sortes de situations pour forcer les uns et les autres à se retrouver ensemble. Évidemment, il n'a réussi qu'à creuser des fossés encore plus profonds. J'ai alors conseillé à cette personne de laisser sa famille tranquille, de ne pas la manipuler ni la forcer car, à un moment ou à un autre, quelqu'un renouerait avec la tradition et tout rentrerait dans l'ordre. Et c'est ce qui s'est fait ! Un an après la mort de cette enfant tant aimée, une des sœurs de la famille a invité ses parents à souper. Ce fut le départ d'une lente reconstruction familiale et du rétablissement des réunions et des fêtes habituelles.

Au tout début de mon travail dans le domaine du chagrin, je conseillais aux gens d'aller chercher de l'aide à l'extérieur de leur famille. Je me disais que tous les membres d'une famille étaient tellement noyés dans la douleur du chagrin que personne n'avait la force de sortir de son chagrin personnel. Mais après avoir observé beaucoup de familles en deuil, j'ai changé d'opinion.

Je crois que le meilleur système de soutien disponible au cours d'un chagrin est sa propre famille. Une famille, c'est un groupe qui a appris à s'aimer, à se dire franchement les choses, à se réconcilier, à résoudre ses conflits et à faire face à ses crises. Quand tout le monde a oublié, la famille, elle, se souvient. Il est beaucoup plus thérapeutique de se rappeler des souvenirs avec quelqu'un qui sait de quoi ou de qui l'on parle qu'avec un étranger. La famille a des hauts et des bas; elle se déchire et se mord; elle est rancunière mais quand vous avez besoin d'aide parce que le fardeau à porter est trop lourd, elle sait être là pour l'alléger...

QUELQUES EXERCICES UTILES

1) Prenez le temps de vous asseoir avec des membres de votre famille. Regardez ensemble les albums de photos. Racontez des histoires de famille. Utilisez les photos de la personne absente pour rappeler des souvenirs.

2) Pensez à chacun des membres de votre famille. Qui d'entre eux pourrait avoir le plus de difficultés à supporter une perte ? Allez le visiter. Mettez-vous d'accord sur des façons de faciliter son adaptation.

3) Repassez mentalement les pertes antérieures que votre famille a subies et voyez comment elles l'ont secouée ou fortifiée.

13

L'affliction
volontaire

Le plus grand nombre de chagrins que j'ai observés au cours de ma carrière ont été le fait du hasard. Les gens ont été entraînés par un torrent d'émotions et comme les victimes d'une inondation brutale, ils ne l'ont pas choisi. Ces émotions les ont saisis instantanément et avec furie. Une fois ce premier choc douloureux amorti, ils essaient d'éviter tout ce qui pourrait leur rappeler leur perte. Ils espèrent, ils ne savent comment, éviter tout nouveau contact avec la réalité.

Voyez Edward. Il a perdu deux enfants dans le même sinistre. Il a continué à travailler quoique épuisé. Il revenait le soir à la maison, en larmes, et conduisait avec peine. Il ne savait que faire pour atténuer sa douleur et il est ainsi resté la victime du chagrin qui le frappait comme des vagues imprévisibles. Il avait peur de regarder les photos de ses enfants. Il lui était impossible d'entrer dans leur chambre. Il me dit un jour :

« Il doit bien y avoir quelque chose à faire pour empêcher ce chagrin de me paralyser n'importe où, n'importe quand, sans que je puisse le prévoir le moins du monde… mais je ne sais pas quoi. »

Je lui ai alors fait part de ce que j'avais découvert quelques années auparavant. Beaucoup de personnes m'ont remercié de ce conseil et l'ont trouvé extrêmement utile.

Un temps pour pleurer

Voilà une description détaillée de ce conseil :

- Réservez un temps chaque jour pour vous affliger. Choisissez un moment où vous ne serez pas dérangé et un endroit où vous vous sentirez libre de parler tout haut et de crier. La durée de cet exercice est à votre discrétion mais il faut qu'il soit quotidien. Dites-vous : « Tiens, c'est le moment de m'affliger. » Cela vous permettra de vous sentir en contrôle de votre chagrin et d'éliminer quelque peu son aspect irréductible.

- Réunissez quelques outils pour votre période d'affliction volontaire. Vous avez besoin d'un crayon, d'un carnet ou d'un journal personnel, de papier-mouchoirs et d'objets ayant appartenu à l'être cher ou rappelant son souvenir : photos, vêtements, bijoux, bibelots, lettres, etc. Utilisez ces objets pour vous aider à reconstruire votre relation étape par étape.

- Au début de chaque session, choisissez une partie de votre relation qui était mais qui n'est plus. Par exemple, vous aviez peut-être l'habitude d'aller à la pêche ensemble. Rappelez-vous d'autant d'excursions de pêche que vous pouvez. Maniez les amorces et les cannes à pêche favorites que vous apportiez avec vous. Écrivez dans votre journal quelques faits saillants lors de ces sorties. Décrivez les sentiments que vous ressentiez pendant ce temps passé ensemble. Brièvement, faites l'inventaire des moments heureux et des moments malheureux. Souvenez-vous des commentaires que cette personne faisait. Concentrez-vous strictement sur vos aventures de pêche. Si votre esprit vagabonde, dites-vous simplement que vous penserez à cela plus tard et reprenez votre travail mental de révision et de reconstruction de vos excursions de pêche.

Un tel exercice vous oblige à penser à la vie de la personne. Souvent, quand on est affligé, la seule chose à laquelle on arrive à penser, c'est la mort. Il est thérapeutique d'établir que la vie de cette personne et votre relation avec elle ont valu la peine.

Cet exercice va aussi vous forcer à ressentir des souffrances que vous chasseriez normalement de votre esprit en quelques secondes. Dans ces moments tranquilles d'affliction volontaire, vous pouvez prendre le temps de souffrir plus longtemps et cela permet à la douleur de perdre la force de vous blesser au vif.

Ainsi, au fur et à mesure que vous ferez la révision de votre relation, vous réaliserez que vous ne la retrouverez pas dans cette vie. Réaliser cela est un élément crucial pour vous adapter à votre perte. Et il faut alors confirmer cette réalité. Dans votre journal ou votre carnet, dites un court au revoir à ce que vous faisiez ensemble et que vous ne pourrez plus faire. Dites au revoir clairement et directement.

Une fois écrit, lisez cet au revoir à haute voix. Lisez-le à vous-même plusieurs fois. Bientôt, vous pourrez le dire par cœur. Dites-le aussi avec tout votre cœur. Vous serez peut-être secoué de sanglots, vos yeux se noieront de larmes. Laissez faire. Ne cherchez pas à interrompre les marques de votre affliction. Continuez à dire au revoir jusqu'à ce que la paix s'installe en vous.

Après la plupart de vos sessions, vous serez très tendu. Couchez-vous sur le dos par terre. Dites-vous que votre corps est lourd et qu'il s'enfonce dans le plancher. Respirez lentement et profondément. Restez dans cette position de détente au moins dix minutes, puis levez-vous et terminez cette période d'affliction volontaire en prononçant une courte prière de reconnaissance pour les moments que vous avez partagés dans le passé avec cette personne spéciale pour vous. Peut-être désirez-vous inventer une manière différente de conclure chaque session. C'est comme vous voulez.

L'affliction volontaire permet de mettre au point des émotions qui autrement resteraient vagues ou embrouillées. En rattachant vos émotions à des événements précis, il est plus facile pour vous de voir que vous faites des progrès dans votre adaptation à votre perte. Ce qui compte, c'est d'avancer. Le temps n'a pas d'importance. Remarquez tout progrès vers une acceptation de votre perte et cherchez à aller de l'avant dans votre chagrin. Les sessions d'affliction volontaire empêchent que l'on reste bloqué dans une étape de son chagrin.

J'ai remarqué que les hommes en particulier apprécient cette approche car les hommes, naturellement, aiment réparer les choses et les prendre en main. Cette méthode organisée leur donne une forme de contrôle sur leur chagrin en leur permettant de faire quelque chose à son sujet. Cela leur permet aussi de mesurer leurs progrès même s'ils sont très petits.

Un certain nombre d'hommes commencent maintenant à chercher de l'aide à travers les groupes de soutien mais la majorité d'entre eux encore préfèrent s'en tirer tout seuls. Ces sessions calmes et tranquilles, tenues dans l'intimité de leur foyer et suivant une procédure simple, offrent aux hommes une alternative constructive à la fréquentation d'un groupe ou à la fuite dans le travail (ou autre chose).

Idéalement, une personne chagrinée devrait pouvoir compter sur au moins une autre personne avec laquelle elle pourrait parler. La base de la discussion peut être ce qu'elle a écrit au cours de ses sessions d'affliction volontaire dans son carnet ou son journal. Il est particulièrement utile de lire son au revoir à quelqu'un d'autre.

Il est aussi très bon de lire et de relire votre propre journal du début à la fin. Si ces lectures suscitent moins de peine, cela vous dira que vous faites des progrès. Vous verrez aussi que vous ne dites plus les mêmes choses de la même manière. Vous avancez vers la guérison.

Une infirmière m'a permis d'utiliser son journal personnel pour illustrer comment l'affliction volontaire favorise le progrès vers l'adaptation à la perte. Cinq semaines après la mort de son mari, elle écrivait :

«Je commence à savoir que tu es vraiment parti. Non. Je ne crois pas encore que tu es parti. Pas encore!»

Deux mois plus tard, elle disait à son journal :

«Je ressens une telle solitude et une telle tristesse… mais l'angoisse terrible que je ressentais les premières semaines se dissipe quelque peu. J'essaie maintenant de penser à des façons de vivre sans toi. Je prie pour avoir la force de continuer.»

Trois mois après la mort de son mari, elle a écrit :

«Aujourd'hui, je crois, est un point tournant. Je crois que je commence à accepter ta mort. C'est final. Ce soir, je suis calme. Pas de larmes, ce soir. Tu me manques. Je voudrais que tu sois à côté de moi pour me dire bonsoir. Mais tu ne feras plus jamais cela et je ne pourrai plus jamais te toucher ou te dire que je t'aime…Je ne pourrai le faire qu'à ta photo ou à ton souvenir. »

À la fin du cinquième mois de son deuil, cette femme écrivait:

« Demain, ce sera notre 34e anniversaire de mariage. La journée, aujourd'hui, a été bonne. Je ne sais pas si c'est parce que j'ai été tellement occupée ou si Dieu a exaucé ma prière d'avoir la paix. »

Après six mois de deuil, on peut lire dans son journal:

« Je pense que je suis entrée dans une nouvelle phase de ce deuil. C'est une réalité maintenant. Tu es parti pour toujours et je suis vivante. Je veux être vivante. Je veux de nouveau avoir la joie de vivre. »

Ces quelques extraits démontrent bien le mouvement vers la vie sans son mari que cette femme a fait. Alors que je parcourrais son journal avec elle, elle fut elle-même étonnée des progrès accomplis en six mois. Ils étaient dus, en grande partie, au fait qu'elle avait accepté de s'affliger volontairement.

Voici un autre exemple de ce que l'affliction volontaire peut faire pour guérir de son chagrin. Allen avait un ami, Paul, chasseur de chevreuil comme lui, qui était mort d'une crise cardiaque en pleine forêt. Paul était assis sur une souche, attendant qu'Allen pourchasse un chevreuil le long d'un ravin et le rabatte vers lui, mais il mourut avant que le chevreuil passe devant lui. Allen le trouva mort et jura de ne plus jamais chasser le chevreuil de sa vie.

Deux ans après la mort de Paul, la fille d'Allen qui avait dix ans lui rappela sa promesse de lui apprendre à chasser le chevreuil :

« Je veux apprendre mais tu ne vas plus à la chasse depuis que Paul est mort. »

Allen est venu me consulter. Il admit que cela faisait deux ans qu'il se trouvait des excuses pour ne pas aller chasser le chevreuil. Ses amis l'invitaient mais il se disait trop occupé. Après qu'il m'ait raconté toute son histoire, je lui ai suggéré le programme d'affliction volontaire puis il déclara :

« Je crois que ça va être une tâche très pénible mais c'est la première suggestion depuis deux ans qui me paraît sensée. »

La semaine suivante, Allen entra dans mon bureau en parlant :

« Lawrence, je n'arrive pas à décrire comment je me suis senti quand je suis sorti d'ici la semaine dernière. Je suis arrivé à la maison et j'ai dit à ma femme que je me sentais infiniment mieux. Plus léger. Plus encouragé. J'ai commencé cette histoire d'affliction volontaire. Maintenant, j'arrive à parler à ma femme. Elle est tellement heureuse de ce qui m'arrive. »

Deux mois plus tard, j'ai demandé à Allen quelque chose de très difficile :

« Je veux que vous ameniez votre fille en promenade dans la forêt. Allez à l'endroit où vous avez
trouvé Paul mort ce jour-là. Racontez-lui l'histoire.
Dites-lui que c'est la peur de souffrir qui vous a empêché de l'amener à la chasse avec vous. Puis dirigez-
vous vers le refuge des chasseurs et asseyez-vous tranquillement à l'intérieur jusqu'à ce que votre fille parle.
Répondez à ses questions. Mais surtout, dites-lui que
vous allez lui enseigner à chasser le chevreuil dès que
la saison de la chasse aura commencé. »

Lors de notre dernière rencontre, Allen m'a
raconté l'émouvante histoire de sa marche en forêt
avec sa fille. Il conclut en disant :

« Lawrence, ma petite fille et moi, nous nous
sommes énormément rapprochés. Elle sait maintenant que la mort de Paul ne va pas nous séparer. Je
suis étonné que tout cela soit arrivé en suivant les
simples règles de l'affliction volontaire. Ça a vraiment
marché pour moi. De plus, vous m'avez aidé à répondre à de nombreuses autres questions que je me posais.
Merci de m'avoir aidé à reprendre ma vie en main. »

Pour l'avoir observé à maintes et maintes reprises chez ceux qui ont pratiqué l'affliction volontaire,
je suis convaincu qu'il y a en chacun de nous qui
sommes brisés par le chagrin, un très fort désir de
guérir et de vivre à nouveau pour changer les choses
dans notre monde de souffrance et de confusion.

Je suis très reconnaissant que cette approche
puisse aider tant d'hommes en particulier, mais aussi
des femmes et des jeunes.

14

Soyez bon envers vous-même

Quand nous subissons de grandes pertes, il nous arrive de penser qu'il est inutile de continuer à vivre. Notre estime personnelle tombe presque à zéro et nous ne voyons pas pourquoi nous devrions nous occuper de nous-mêmes car de toute façon – c'est ce que nous croyons – nous ne valons plus rien.

Je rencontre fréquemment des gens chagrinés au point qu'ils ne mangent plus, ne s'habillent plus, ne se lavent plus, ne se coiffent plus comme ils avaient l'habitude de le faire. Ils sont totalement immobilisés. Ils ne sortent plus. Ils ne touchent plus à un livre ou à un journal.

Si cela est en train de vous arriver, lisez attentivement l'Évangile selon Luc, au chapitre 15.

C'est le chapitre de l'histoire de la brebis perdue, de la pièce d'argent perdue et du fils prodigue. Vous verrez que le cœur de chacune de ces histoires est que Dieu considère qu'il n'y a pas un individu sur cette terre qui n'est pas infiniment précieux pour Lui et cela même quand il est très honteux de lui-même. Nous pouvons nous sentir méprisables et rejetés mais pour Dieu, nous avons toujours une valeur infinie. Il est très important que toute personne chagrinée le comprenne.

Maintenant, faites un pas de plus et réalisez que votre capacité d'aimer les autres et de vivre utilement est toujours là, avec vous. L'objet de votre amour peut être parti et vous ne recevez plus sa réponse à votre amour, mais vous pouvez encore aimer ! L'amour est de Dieu. La source de l'amour n'est donc pas tarie.

Vous avez encore la vie. La vie est un cadeau qui ne supporte pas de rester emballé. Il faut le partager pour le bénéfice des autres si l'on veut qu'il prospère. Si vous décidez de vous replier sur vous-même et de vous couper des autres, vous allez juste vous faire plus mal que vous avez déjà mal. La guérison vient en se tournant vers les autres et en utilisant cette denrée précieuse qu'est la vie, cette vie que Dieu vous a donnée.

Soyez bon envers vous-même et revenez à la vie. Bien sûr, pas trop vite sur le coup. Faites un pas à la fois. On peut quitter le cercle du chagrin prématurément. Si c'est le cas, chaque petit geste que vous ferez exigera de vous une force que vous n'avez pas et cela vous laissera épuisé.

Pour certaines femmes, un petit pas vers la guérison commence par la préparation d'une tarte maison ou par la rédaction d'une lettre à quelqu'un qui a besoin d'encouragement depuis longtemps. Il y a des hommes qui vont aller chez le quincaillier et acheter ce qu'il faut pour réparer le robinet de la salle de bain qui coule ou encore qui vont laver et cirer leur voiture au grand complet.

Soyez bon envers vous-même et passez un examen de santé. Demandez à votre médecin quel genre d'exercices physiques vous pouvez entreprendre. Que ce programme d'exercices soit intéressant et à la mesure de vos capacités. Soyez actif!

Le chagrin a tendance à raidir les muscles et à bloquer le souffle qui devient court. Cela peut être éliminé par des exercices appropriés. Je ne vois pas grand chose de meilleur qu'une marche vigoureuse suivie d'une promenade décontractée d'égale durée.

La mort et le divorce sont les plus grands facteurs de stress humain. Ils entraînent des changements qui exigent énormément de réajustements. Il ne faut pas en ajouter d'inutiles. Autant que possible, évitez tout autre bouleversement pendant la première année qui suit votre perte. Vous vous adapterez beaucoup plus facilement à votre perte majeure si vous réussissez à garder stables tous les autres aspects de votre vie.

Vos amis et votre famille peuvent vous conseiller de vendre votre maison, de changer de travail, de déménager au loin ou encore d'accepter que quelqu'un vienne vivre avec vous, mais tous ces conseils, généralement, ne sont pas bons. Si les circonstances vous obligent à le faire, d'accord, mais, à mon avis, il est beaucoup plus sage d'attendre d'être guéri de votre chagrin avant d'apporter un changement à votre vie.

Comment régler les conflits

Le stress est inévitable. Les jours qui suivent une perte soulèveront leur lot de conflits et il est important d'apprendre à les régler. Permettez-moi de partager avec vous quelques idées à ce sujet.

1. Si un conflit survient, ne réagissez pas sur le coup. Calmez-vous. Priez pour que Dieu vous donne de la sagesse et une juste perspective du problème.

2. Parlez avec un(e) ami(e) qui peut vous aider à découvrir l'origine de votre conflit.

3. Prenez le temps de réfléchir. Faites une liste de toutes les options possibles et des résultats possibles de chacune d'elles.

4. Choisissez une ou deux options qui vous semblent les meilleures puis faites de votre mieux, ce qui veut dire : Faites aujourd'hui ce qui peut se faire aujourd'hui, laissez pour demain ce qui ne peut se faire que demain ; et oubliez ce que vous ne pouvez contrôler.

Ces quatre trucs sont utiles quand survient une crise mais il est bon d'améliorer ses aptitudes pour faire face aux difficultés. Par contre, c'est un travail à long terme. Nous avons tous un seuil de tolérance que nous pouvons élargir ou rétrécir par notre style de vie. Le chagrin est une force de pression énorme qui a tendance à amoindrir notre capacité de tolérer les stress, mais il existe aussi une foule d'autres conditions semblables: la peur, la colère, le découragement, la jalousie, l'envie, le ressentiment, une vie sédentaire, la violence, des changements excessifs, des luttes domestiques, l'ambition de réussir, l'ennui, le tabac, les drogues, l'absence de petit déjeuner, une mauvaise alimentation, le manque de sommeil, le surmenage et l'alcool.

Par contre, on peut accroître sa capacité de supporter l'opposition et les moyens de le faire sont: l'expression quotidienne de sa gratitude envers Dieu et l'humanité, des manifestations habituelles d'affection, de joie, de pardon, de courage, d'espérance, de paix et de confiance en Dieu, un programme d'exercices journalier qui répond à ses besoins, une bonne méthode de relaxation et des habitudes de vie saines.

Les pressions de la vie ne s'arrêtent pas parce que nous avons un chagrin. En réalité, elles augmentent souvent parce qu'il faut régler tant de choses, et si vite, après un décès ou un divorce. Il est utile de considérer son cerveau comme un filtre et nous devons décider quelle étiquette nous allons mettre sur ce que réclame notre attention: «oublier», «sans importance», «peut attendre», «vital», «prioritaire». N'acceptez que quelques items étiquetés «important» dans une journée.

En réalité, une personne qui a un chagrin doit se faire du bien en simplifiant sa vie. Peu importe si

quelque chose ou quelqu'un doit attendre quelques
jours ou quelques semaines de plus. Avoir un chagrin,
ce n'est pas une partie de plaisir. Vous méritez de vous
dorloter un peu.

Quelque temps après la mort de notre fils, des
amis nous ont invités dans un restaurant ultra-chic. Ils
avaient eux aussi perdu un enfant et ils devaient sentir
que nous avions besoin d'une petite gâterie. De nous-
mêmes, nous ne l'aurions jamais fait car nous étions
tellement engourdis par notre deuil. Quatorze ans
plus tard, nous y sommes retournés et nous avons pu
reconnaître combien ce changement de paysage nous
avait alors fait du bien.

Ma façon d'être bon envers moi-même est de
m'isoler pour penser. Je prends mon canot, l'attache
sur le toit de ma voiture et me rends à un barrage à
environ 80 km de chez moi. J'apporte un casse-croûte
et je passe plusieurs heures à ramer, à dormir, à manger en plein air. Je regarde le ciel, j'écoute les oiseaux
et je tends l'oreille au clapotis de l'eau. Tout cela me
permet d'étirer mes muscles spirituels.

Un jour, je suis allé visiter une dame qui était
veuve depuis un an. Elle avait tiré tous les rideaux de
sa maison et refusait de répondre au téléphone. Dans
sa réclusion, elle était devenue dépressive et malade.
Dès que je fus à l'intérieur, je me dirigeai vers son
salon et tirai les rideaux de la grande baie vitrée. Là,
devant sa fenêtre, s'étalait un magnifique lac parsemé
de bateaux de plaisance. Une ville agréable s'étalait à
ses pieds mais elle était prisonnière parce qu'elle avait

choisi de souffrir. Pendant une heure, je me suis efforcé de l'encourager à être bonne envers elle-même. Je lui dis qu'il y avait certes un temps pour pleurer mais qu'il y avait aussi un temps pour permettre aux gens, aux lieux et aux choses de nous détourner de notre peine.

Une autre veuve que je connais a trouvé un moyen extraordinaire d'être bonne envers elle-même. À l'Action de Grâces et à Noël, elle sert un repas à des centaines de personnes. Ses invités sont des pauvres, des misérables, des sans-abri, des malades mais tous sont bienvenus et reçus par elle avec honneur dans une grande salle de banquet. Elle les sert, les embrasse, rit et chante avec eux et sans le réaliser vraiment, elle se fait à elle-même un bien immense.

Oui, je le sais. Vous n'avez en ce moment aucune envie de vous faire une faveur... mais faites-le quand même. Vous le méritez. Vous êtes spécial.

Vous êtes spécial tout comme cette femme qui se mourait du cancer. Depuis l'annonce de sa terrible maladie, elle était en deuil et pleurait la perte imminente de sa propre vie. Elle avait brusquement cessé de se promener dans la maison et restait assise du matin jusqu'au soir dans sa chaise berçante à regarder non plus dehors mais le plancher. Les oiseaux-mouches ne captivaient plus son attention et sa fille était vraiment inquiète pour elle.

Je décidai d'aller la visiter sur son ranch désolé et apportai avec moi mon tympanon. J'entrai avec l'instrument sous le bras et sa fille me conduisit immédiatement au salon où sa mère était assise, immobile.

J'ignorai son indifférence et lui dis de but en blanc :

« Lilly May, cela fait longtemps que vous êtes triste. Il faut maintenant que vous fassiez quelque chose qui vous plaise. Tiens, nous allons faire un peu de musique ensemble. »

Sans attendre sa réponse, je plaçai le tympanon sur mes genoux et jouai une chanson de son temps dont les paroles disaient :

« Tu es mon rayon de soleil,

Mon unique rayon de soleil.

Quand le jour est gris, tu me rends heureux.

Tu ne sauras jamais, ma chérie, combien je t'aime.

Je t'en prie, ne m'ôte pas mon rayon de soleil. »

Alors un miracle se produisit. Lilly May se leva de sa chaise et alla chercher de l'autre côté du salon un boîtier en cuir noir debout dans un coin. Elle le ramena à sa chaise, l'ouvrit et en sortit une scie musicale et un archet de violon. Elle plaça la scie entre ses genoux, courba la lame avec sa main gauche et passa l'archet sur le côté lisse de la scie. Nous rejouâmes ensemble « Tu es mon rayon de soleil » et une demi-douzaine d'autres chansons. Puis elle replaça sa scie et son archet dans le boîtier et le remit dans son coin.

« Que c'était agréable », dit-elle simplement.

Lilly May venait d'apprendre, tout comme vous devez l'apprendre aussi, que même au cœur de la souffrance, il est bon de se faire du bien, ne serait-ce qu'en prenant une petite vacance de son chagrin.

UN EXERCICE UTILE

Faites une liste de petites choses qui pourraient vous faire du bien et vous détendre. Fixez des moments pour les faire et en profiter.

15

Réapprendre à vivre

Après la perte d'un être aimé, il faut réapprendre à vivre, ce qui veut dire qu'il faut réapprendre à communiquer, à participer et à établir des relations.

La mort, le divorce et toutes les pertes majeures (emploi, réputation, santé, etc.) sont une menace à notre bien-être émotionnel, physique, social et spirituel. Pour beaucoup de gens chagrinés, la vie s'arrête. Ils désespèrent de ne jamais surmonter leur perte. Ils me disent fréquemment:

« Je me sens mort à l'intérieur. Jamais plus je n'aurai le goût de vivre. J'ai l'impression qu'une partie de moi-même est morte. »

Il est vraiment urgent de « ressusciter » les gens qui ont perdu une ou plusieurs relations humaines importantes pour eux. Voici comment on peut les aider à revivre :

La communication

Quand quelqu'un perd un être aimé, toute communication s'arrête. L'amour et la confiance permettaient à ces deux personnes de parler de tout. Il y avait entre elles une transparence qui les autorisait à bavarder de choses et d'autres ainsi qu'à dévoiler leurs pensées les plus intimes. Elles pouvaient exprimer de nouvelles idées et remettre en question leurs idées anciennes sans risquer de perdre la face. Elles pouvaient manifester leur affection et être sûres d'avoir une réponse positive. La mort, la séparation, le divorce, l'éloignement changent cela. Sans cette forme idéale, la communication s'évanouit.

Au début de la perte, celui qui reste se sent obligé de parler de l'absent. Il passera des heures à réviser les événements entourant sa mort ou son départ. Les amis qui viendront au salon funéraire, par exemple, entendront tous un certain nombre de souvenirs concernant le défunt.

À ce moment-là, le besoin de communiquer est fort mais il ne se concrétise pas toujours car, malheureusement, certaines personnes trouvent qu'il leur est difficile de parler. Elles craignent de souffrir psychologiquement si elles s'expriment.

Parfois, les personnes chagrinées tombent dans le mutisme. Elles ne parlent pas à leur parenté ni à leurs amis intimes. La communication peut se détériorer au point qu'elles s'isolent complètement. Pourtant, à l'intérieur, elles ragent d'exprimer ce qu'elles ressentent.

De nombreuse personnes me disent qu'avant d'arriver à mes séminaires, elles n'avaient jamais exprimé leurs sentiments. Certaines me racontent des décès survenus il y a longtemps et dont elles n'avaient jamais pu être soulagées parce qu'elles n'en avaient tout simplement jamais parlé. Une personne m'a dit :

« Je n'arrive pas à me décider d'en parler. À bien y penser, je viens d'une famille qui a toujours été très renfermée. »

Une amie est restée silencieuse pendant quatre ans au sujet la mort de son fils au Vietnam. D'autres gens voudraient bien parler de la mort ou du départ de leur être cher, mais ceux qui étaient là au moment de la perte n'ont plus envie d'en parler, ne serait-ce qu'une semaine plus tard. Ils restent alors pendant des mois et des mois avec leur histoire sur le cœur et personne avec qui la partager.

Il arrive aussi que les personnes chagrinées n'osent pas parler de leur chagrin de peur de s'imposer. Elles sont timides et préfèrent se replier sur elles-mêmes plutôt que de risquer d'éloigner leurs amis. Cela n'est vrai, bien souvent, que dans leur imagination dépressive car plusieurs de leurs amis seraient heureux de les soutenir et les encourager.

Dans certaines familles, la communication est coupée. C'est comme si, sans l'avoir jamais dit, tous leurs membres s'étaient donnés le mot pour qu'on ne fasse jamais mention de la personne disparue ou absente. Si quelqu'un devait s'aventurer à en parler, on lui répondra immédiatement : « Je ne veux pas en entendre parler. »

Il n'est pas facile non plus, dans notre société, d'exprimer des sentiments tristes. Tout doit bien aller pour tout le monde tout le temps. Une personne chagrinée se sent en exil au milieu du brouhaha et du va-et-vient quotidiens. Personne ne semble intéressé à l'écouter. Ce phénomène va forcer celui ou celle qui souffre à se tourner vers un professionnel : conseiller familial, médecin, pasteur, psychologue ou à fréquenter un groupe de soutien ou à suivre une thérapie.

Dès qu'une personne qui a un chagrin arrive à verbaliser sa peine, que ce soit à un ami, un professionnel ou un groupe, elle obtient immédiatement un certain contrôle sur son chagrin qui lui semblait incontrôlable et bientôt, sa douleur devient moins criante.

Après cinq semaines de thérapie, j'entends souvent les gens dire :

« C'est fou ce qu'il m'est plus facile d'en parler maintenant qu'il y a cinq semaines. Le premier soir de cette thérapie de groupe, j'arrivais à peine à me présenter sans être pris d'émotion. »

Un ami très cher a suivi la thérapie que je donnais deux semaines après que sa femme soit morte dans ses bras. Il était incapable de dire « bonsoir » sans sangloter entre chaque syllabe. Les autres membres du groupe furent très patients avec lui. Ils l'encouragèrent à parler malgré ses larmes. Au bout de quelques semaines, il était capable de parler de sa femme sans avoir la voix trop étranglée. La douleur de son chagrin s'atténuait au fur et à mesure qu'il s'exprimait et ouvrait à nouveau les voies de communication avec ceux qui l'entouraient.

La participation

Il y a tant de choses que l'on fait dans la vie avec ceux que l'on aime ! Il est normal que lorsque quelqu'un d'aimé meurt ou s'en va, les activités que l'on faisait avec lui ou elle n'aient plus de sens et deviennent une cause de dépression. À tant penser à une perte, il ne reste plus d'énergie pour faire autre chose.

La participation aux activités courantes de la vie est le pas ultime vers la guérison. L'engagement total de la personne dans une action constructive est l'idéal mais on n'y parvient qu'en commençant lentement. La participation doit s'élargir graduellement jusqu'à ce que l'on ressente un sentiment renouvelé de compétence pour les tâches quotidiennes.

Beaucoup de gens endeuillés ont énormément de remords à recommencer à vivre. S'ils vont à une fête ou éclatent de rire, ils ont tout de suite le sentiment de trahir la personne aimée. Le premier désir véritable de rencontrer une personne du sexe opposé cause aux veufs et aux veuves de réels sentiments de culpabilité. Participer à un pique-nique familial, alors que l'on a perdu un enfant, soulève des émotions souvent pénibles et contradictoires. Tout cela est normal : Ne laissez pas ces sentiments vous détourner de votre devoir de vous réintégrer dans votre société.

La peur de retourner au travail ou à l'église parce qu'on craint de s'effondrer entraîne de l'anxiété mais en général, les gens qui se permettent d'exprimer librement leurs sentiments et de pleurer ouvertement dans l'intimité de leur foyer n'ont pas trop à craindre de pleurer en public. On peut essayer de retourner au travail à temps partiel pendant quelques semaines avant de reprendre le travail à temps plein. Quant au retour à l'église, je conseille d'y aller progressivement. La première semaine, arrivez en retard et partez avant la fin. Si vous ne supportez pas les chants, n'arrivez que pour le sermon. Au bout d'un certain temps, vous pourrez à nouveau apprécier le service religieux au complet.

Il m'arrive de dire qu'il est plus facile d'agir, même si cela ne nous dit rien, que d'attendre d'avoir envie de faire quelque chose pour agir. Pensez-y ! Si vous attendez d'avoir envie de retourner aux réunions de votre club, vous n'y retournerez pas avant plusieurs années. Mais si vous décidez d'y aller -que vous en ayez envie ou non- vous reprendrez goût à y être à nouveau et vous retrouverez le plaisir de rencontrer vos amis.

L'idéal, bien sûr, serait de participer à des activités que vous aimez vraiment. Éliminez de votre vie ces choses que vous faisiez autrefois juste pour être ensemble mais qui ne vous plaisaient pas plus que ça. Vous pouvez maintenant faire ce qui vous convient et ce qui répond à vos besoins personnels.

Les relations

Dans un chapitre précédent, j'ai mentionné la mobilité de notre société qui a entraîné pour chacun la diminution de son cercle d'amis intimes et donc de soutien moral sur lequel il pourrait compter. Cela rend le chagrin encore plus pénible. Mais il existe un moyen de corriger ce problème et cela s'appelle « se tourner vers les autres ».

Au début de sa souffrance, une personne chagrinée a besoin de *recevoir* beaucoup, mais une fois sa douleur aiguë passée, elle doit immédiatement se mettre à *donner* tout en continuant à recevoir.

Je conseille fréquemment à mes clients isolés et repliés sur eux-mêmes d'aller faire une petite visite au foyer de vieillards le plus proche de chez eux.

Je leur dis :

« Allez voir l'administration et demandez s'il y a une personne solitaire qui a besoin d'être visitée. »

Et j'ajoute :

« Lors de votre visite, écoutez deux fois plus que vous ne parlerez. Laissez cette personne âgée vous raconter ses souvenirs. En partant, dites-lui combien vous êtes reconnaissant d'avoir pu bavarder avec elle car elle a enrichi votre vie. »

Nous souffrons beaucoup, nous Occidentaux, d'une réduction importante des dialogues au sein de relations significatives. Dans cette ère de technologie, on ne trouve même plus le moyen de parler de la pluie et du beau temps à la banque, à la poste ou à l'épicerie. C'est vraiment « chacun pour soi ». Mais en tant qu'individu, vous pouvez, si vous le voulez, changer cela.

Vous pouvez commencer par parler dans l'ascenseur à ceux qui y sont avec vous. Cessez de regarder au plafond, de siffloter ou de regarder par terre. Cela peut être un expérience stimulante. Certes, vous ne reverrez probablement plus ces gens mais leur réponse à votre « Bonjour ! Ce qu'il fait beau aujourd'hui ! C'est vraiment le printemps… » peut être un moyen de vous guérir.

Pensez à vos relations présentes. Sont-elles en train de stagner ? Peut-être pourriez-vous les ranimer. Une façon d'y parvenir est d'inviter vos amis à un repas à la maison. Intéressez-vous à eux. Posez-leur des questions sur leur passe-temps ou leur dernier voyage. Soyez ouvert avec eux. Dites-leur qu'ils sont importants pour vous. Exprimez votre reconnaissance pour leur amitié.

Écrivez un mot à votre parenté éloignée. Mettez-la au courant des derniers événements de votre vie et demandez de ses nouvelles. Envoyez-lui des photos ou de petits cadeaux en signe d'amitié.

Ma femme avait une tante, veuve depuis de nombreuses années, mais qui était loin d'être isolée.

Elle avait énormément d'amis et de connaissances. Chaque fois qu'il y avait un événement dans sa ville, on pensait à elle pour présenter le texte de circonstance. Ma tante ne se contentait pas de le lire mais, généralement, elle le composait elle-même, qu'il soit triste ou humoristique. À Noël, la carte que tout le monde préférait recevoir était la sienne car elle la faisait elle-même et y écrivait toujours un petit mot personnel. Quand nos enfants étaient petits et n'avaient pas encore acquis de très bonnes manières à table, elle ne s'en souciait pas et nous invitait quand même à manger dans son petit appartement bien propre. Cette tante ne cessait de se faire de nouveaux amis alors que la plupart de ses amis perdaient les leurs. Son secret, c'était de se tourner vers les autres.

Certains professionnels de la santé qui se penchent sur la santé totale de leurs patients, voient cette question des relations sous un autre angle. Ils considèrent que l'amour, le désir d'aller vers les autres, avoir un but et un sens à sa vie découlent d'une relation ultime avec Dieu. Or la maladie et les crises majeures de l'existence telles que la mort, le divorce et le rejet peuvent altérer la capacité d'une personne d'être consciente que Dieu veut entretenir avec elle une relation personnelle. Cette personne, ainsi coupée de Dieu, va se sentir privée de tout espoir, de tout amour et de tout pardon de Sa part. En mots plus simples, une personne chagrinée éprouve une perte temporaire de la foi qui va l'empêcher de se sentir bien dans sa peau et avec les autres. Pour rétablir ses relations avec les autres, il va falloir qu'elle se réconcilie auparavant avec la Source de toutes les relations.

Une personne sous le choc de son chagrin et glacée de tristesse se sent souvent impuissante. Elle a fréquemment besoin qu'une autre personne l'aide à rétablir communication, participation et relations dans sa vie afin qu'elle guérisse et retrouve la foi.

Cette autre personne doit avoir certaines qualités et caractéristiques. Si vous en connaissez une, ne craignez pas de vous appuyer sur elle. Si vous avez guéri de votre chagrin, vous pourriez chercher à devenir pour les autres une telle personne. Voici sa description :

- Elle donne des soins parce qu'elle se soucie sincèrement de l'autre.

- Elle connaît les véritables besoins de la personne en deuil et sait donc les anticiper.

- Elle a du tact.

- Elle connaît les petites choses qui savent consoler la personne chagrinée.

- Elle écoute avec amour et se penche sur la profondeur de la souffrance de l'autre.

- Elle a une relation intime avec Dieu et cela influence son attitude envers les autres.

- Elle sait donner un soutien moral.

- Elle a du temps à consacrer à la personne chagrinée.

Rétablir dans sa vie communication, participation et relations grâce à l'aide d'une personne aimable permet de voir les choses autrement et sous un nouveau jour. La personne qui avait un chagrin peut maintenant se concentrer non plus seulement sur ce qu'elle a perdu mais sur ce qui lui reste.

Alors que j'étais en train de visiter une dame âgée à l'hôpital, elle eut tout d'un coup un arrêt pulmonaire. Je sonnai l'alarme et demandai d'urgence l'infirmière de garde puis je commençai à lui administrer la réanimation cardio-respiratoire. En une ou deux minutes, toute l'équipe médicale était là pour la ressusciter avec une précision et une habilité étonnantes. Déchargé de ma responsabilité, je me mis à penser...

On ne soigne pas aussi rapidement les personnes chagrinées et pourtant ne souffrent-elles pas d'un arrêt émotionnel ? Quand elles sonnent l'alarme et crient à l'aide, qui leur répond ? Il faudra souvent qu'elles se soignent elles-mêmes... mais cela sera plus utile et plus bénéfique que d'attendre que les autres le fassent...

16

Le problème
de la
solitude

La jeune femme de 30 ans n'arrivait pas à s'exprimer. Les mots ne sortaient pas. Elle luttait avec elle-même et finalement, très lentement, elle réussit à dire à son groupe :

« Vous ne saurez jamais combien j'aspire à ce que quelqu'un me touche. Que quelqu'un me serre dans ses bras. Quelqu'un. Juste quelqu'un. Je pensais avoir fait un bon mariage. Comment aurais-je pu imaginer que seulement quelques semaines après notre lune de miel, il voyait déjà une autre femme ? Nous sommes restés ensemble six mois. Juste assez pour que je devienne enceinte. Ma fille a maintenant 5 ans. Il n'y a que nous deux. C'est une magnifique enfant mais, après tout, je suis quand même seule. Je ne peux pas m'appuyer sur elle pour recevoir un soutien émotionnel. Ça ne serait pas juste. Chaque nuit, je souffre de ne pas être dans les bras d'un homme. Le désir d'être touchée et qu'on me dise «Je t'aime» m'accable. Il me semble que les quatre murs de la maison se referment sur moi. Désespérée, j'enfouis mon visage dans mon oreiller et je pleure jusqu'à ce que je tombe de sommeil. Il doit y avoir, il faut qu'il y ait quelque part, une solution à mon problème.»

Plusieurs personnes du groupe furent émues aux larmes en entendant cet appel au secours. Elles se levèrent et entourèrent la jeune femme en lui disant des mots de réconfort et d'espérance. Ses paroles criaient sa solitude, symbole d'une perte douloureuse. Il était impossible de rester insensible à tant de souffrance. Il fallait faire quelque chose.

Une mère désespérée trifouillait maladroitement le petit napperon sur le bras du fauteuil où elle était assise tout en faisant un réel effort pour me raconter son histoire sans pleurer:

«Il était si jeune, si plein de vie. Sa passion était de conduire sa bicyclette et c'est sa bicyclette qui l'a tué. Vous voyez, il la conduisait sur le lac gelé. Nous ne savons pas s'il est tombé et si le poids de la chute a cassé la glace ou s'il a tout simplement roulé sur une plaque de glace plus mince… Il n'avait aucune chance de s'en tirer.

Maintenant, je vais dans sa chambre et je reste assise là pendant des heures. J'essaie de me souvenir de sa voix et de revoir son visage et l'expression qu'il avait quand il était enthousiasmé pour quelque chose.

J'attends et je me dis qu'il va peut-être arriver dans la chambre et me dire « Salut, Maman ! » mais cela n'arrive pas. Je sais que j'ai d'autres enfants et un mari qui est si bon pour moi, mais cette maison est si vide depuis… Je me sens si seule… »

Encore aujourd'hui quand j'y pense, la solitude de cette mère me déchire le cœur. La solitude semble être un ingrédient préconditionné du chagrin et personne n'y échappe. Certains vont jusqu'à dire qu'être humain, c'est souffrir de solitude et avoir du chagrin. D'autres pensent qu'à chaque étape de la vie, il s'inscrit des chapitres de solitude : Pensez à la solitude que cause la naissance et à celle que cause l'abandon des personnes âgées.

Pour les personnes chagrinées, la solitude frappe le plus durement des mois après l'enterrement ou le divorce. Au tout début de leur chagrin, elles sont trop occupées à être en colère, à se sentir coupables ou à être engourdies ou en état de choc. Elles ne sentent alors pas la solitude. Par contre, quand toutes leurs affaires sont réglées et qu'elles se mettent à exprimer leur hostilité envers les médecins ou la famille, l'incomparable solitude du chagrin se présente à elles et s'impose.

Mon expérience m'a appris que lorsque les gens ne combattent pas leur chagrin et le laisse les envahir comme une réaction normale à une grande perte, ils auront suffisamment de force pour maîtriser leur solitude. Plus le chagrin est intense et profond au moment de la perte, plus il est facile de régler le problème de la solitude. Les personnes endeuillées qui reçoivent du soutien et de l'encouragement au tout début de leur chagrin ont le privilège de développer de nouvelles relations qui adouciront pour elles le choc de la solitude.

La solitude survient quand une personne perd soudain la source de la satisfaction de ses faims humaines. Or cette satisfaction ne pourra être assouvie qu'à travers de nouvelles relations personnelles intimes. Il faut donc décider que la solitude ne gouvernera pas notre vie. Cela peut être plus facile à dire qu'à faire mais beaucoup de personnes l'ont fait et voici leurs secrets pour combattre la solitude :

1. *S'affliger immédiatement et intensément.*

Vous n'avez pas besoin d'être fort pour les autres. Vous n'avez pas besoin de reprendre immédiatement la vie normale pour ne pas déranger plus longtemps ceux qui vous entourent. Le chagrin est un signe que vous êtes en train de guérir et de grandir en tant que personne. Laissez-le suivre son cours.

2. *Après une temps raisonnable de chagrin intense, dire au revoir à la relation que vous avez perdue.*

Pour votre santé, il est indispensable que vous acceptiez de faire cette amputation psychologique. Si vous avez un journal intime, vous pouvez écrire votre au revoir. Vous pouvez aussi dire au revoir aux choses que vous faisiez avec la personne disparue devant sa

photo. Dire au revoir est une manière saine de clôtu-
rer la période de chagrin intense.

Voici quelques commentaires qui donnent
la preuve de l'importance de cette « fermeture de
dossier » :

« Lorsque j'eus dis au revoir à toutes les choses
que je faisais avec Ned, je me suis sentie régénérée.
C'est comme si une immense responsabilité avait été
ôtée de mes épaules. »

« Après avoir écrit mon au revoir à Jim, j'ai dit à
mes enfants que nous avions vécu dans le passé. Maintenant, nous allions vivre les uns pour les autres et
faire des choses intéressantes. J'ai commencé par faire
un grand ménage et cuisiner un bon repas. »

« J'ai dit au revoir et en le faisant, j'ai perdu
la colère que j'avais contre Dieu et j'ai eu envie
d'apprendre à Le connaître mieux. »

3. *Commencer à penser à sa propre vie.*

Fixez-vous des buts à courts et à longs termes
pour utiliser vos talents et en découvrir de nouveaux.
Graduellement, apprenez à ne plus parler ni agir
« nous » mais de nouveau « je ». Construisez votre nouvelle identité en faisant des choses qui vous plaisent. Si
vous êtes resté(e) seul(e) avec vos enfants, planifiez
des activités à la mesure de la nouvelle dimension de
votre famille. Dressez un calendrier d'événements à
venir.

4. *Voir la solitude comme une amie.*

C'est le moment d'être confronté à vous-même. Posez-vous les questions suivantes : Qui suis-je ? Que puis-je devenir ? Qu'est-ce que la vie pour moi ? Une souffrance, un droit ou un don ? Quelles sont mes valeurs ? Est-ce que je m'accepte ? Quelles zones de ma vie dois-je améliorer ? Suis-je une personne qui prend ou qui donne ? Ces quelques questions vous permettront de vous confronter et de transformer votre solitude en une aventure qui vous fera grandir.

5. *S'intéresser au monde qui vous entoure.*

Élargissez vos centres d'intérêts. Lisez beaucoup. Nourrissez votre personne intérieure. En poursuivant des activités stimulantes, vous rencontrerez des personnes intéressantes. C'est une bonne façon de combattre la solitude qui conduit au désespoir.

6. *Faire du bénévolat.*

Pour certaines personnes, le bénévolat est une mesure efficace de prévention contre la solitude. Cela ne convient pas à tout le monde et il existe diverses sortes de bénévolat. À vous de voir.

7. *Le chagrin, ça fatigue.*

Il faut donc se reposer adéquatement, bien manger et faire de l'exercice. Ne négligez pas votre apparence extérieure. Habillez-vous avec goût. Vous vous sentirez mieux que si vous portez des vêtements qui vous déplaisent et cela facilitera votre ouverture sur les autres.

La solitude devient souvent un mode de vie pour ceux qui vivent dans les gloires et les regrets du passé. À force de ressasser les expériences d'autrefois, on perd la force que l'on pourrait investir dans le présent. Conservez de votre passé les leçons qu'il vous a données mais ne vous asseyez pas sur vos lauriers.

Quant aux regrets amers qui vous tenaillent et vous paralysent, dites-vous qu'il est impossible de revivre sa vie. Tout ce que vous pouvez faire, c'est apprendre de vos erreurs et essayer de faire mieux *aujourd'hui.*

Apprenez à simplifier votre vie et à vous concentrer sur les petits bonheurs qui donnent un sens à l'existence : la lumière du matin, le chant des oiseaux, le parfum des fleurs, la clarté de la lune, les couleurs d'un paysage... C'est alors que vous verrez la délivrance. Vous ne vous sentirez plus jamais seul.

Je me sens poussé à vous raconter l'histoire de Jules. Alors que j'étais pasteur dans une petite ville, je distribuais dans mon voisinage des cartes pour me permettre de répondre aux besoins de ceux que je voulais aider. J'offrais plusieurs services : visites à domiciles, vêtements, nourriture entre autres, mais aussi de l'aide pour apprendre à mieux connaître la Bible. Je reçus ainsi un beau matin la carte de Jules dans ma boîte aux lettres. Il avait pointé la case « Je désire mieux connaître la Bible ».

Je me dis que cette personne devait être un jeune homme avec peu de connaissances de la Bible et c'est avec anticipation que je me présentai chez lui un beau jour. Alors que je sonnai, j'entendis derrière moi une voix qui me disait:

« Oui, que puis-je faire pour vous ? »

Je me retournai et vis un vieillard appuyé sur une canne. Je lui dis que je répondais à sa carte. Ses yeux brillèrent et il m'invita à monter dans son appartement au deuxième. Il m'expliqua immédiatement:

« J'ai tant de choses à apprendre encore et si peu de temps pour le faire. Je ne suis pas très au courant du travail que fait votre église et je veux en savoir plus. Apprenez-moi tout ce que vous pouvez. Je suis curieux », plaida-t-il.

Qui était Jules ? Un homme de 99 ans, pasteur d'une autre église que la mienne. Il avait été l'élève du célèbre prédicateur Dwight L. Moody et prêchait depuis l'âge de 17 ans. Sa femme était morte cinq ans auparavant. Bien sûr, celle qui la remplaça fut la solitude mais il n'avait pas eu de temps pour elle et elle s'était envolée.

La table de la salle à manger était couverte de lettres et de documents qu'il était en train d'écrire. Chaque semaine, il participait à plusieurs banquets organisés pour les citoyens du 3e âge dont il était l'aumônier. J'étais présent à la fête organisée pour ses 100 ans. J'ai écouté avec une profonde attention l'exposé de dix minutes qu'il avait mis plusieurs jours à préparer et à polir. Ce fut un chef-d'œuvre : le texte de fond tiré de la Bible, la question-clé, les trois points, le résumé et l'application pratique… et tout cela en dix minutes exactement. De plus, il avait parlé sans aucune note. Par cœur.

Un pasteur d'âge moyen qui était assis à côté de moi, se pencha vers moi et me dit :

« La prédication de ce vieillard me donne honte. À côté de la sienne, ma prédication a l'air malade. »

Je lui répondis :

« Si Jules peut parler avec autant de persuasion à 100 ans, c'est parce qu'il n'a jamais cessé de vivre. »

Quelque temps après son anniversaire, Jules fut hospitalisé. Cela le bouleversa beaucoup parce qu'il devait faire trois jours plus tard une présentation de livres à son université. Il avait un cathéter mais cela ne l'arrêta pas. Le matin de sa présentation, il arriva à persuader son médecin de lui donner un congé de dix heures. Il partit donc faire sa présentation à son alma mater et au souper, il était de retour dans son lit.

Jules et moi étions devenus aussi proches que des frères. Il m'avait confié son secret pour vivre seul tout en restant créatif. Certes, il avait souffert de la perte de sa femme mais après un certain temps, il avait conclu que la vie est un don de Dieu. Dans son chagrin, il remercia Dieu de lui avoir donné le privilège d'avoir une femme dans sa vie.

Jules n'avait pas cherché cette grande perte mais il considéra ce chagrin comme un moyen de grandir. Alors qu'il cherchait à s'ajuster à ce vide, il se mit à changer de l'intérieur d'une manière formidable.

Il commença par décider qu'une fois guéri de son chagrin, il ne resterait pas captif de ses sentiments de tristesse pour le reste de sa vie. C'était un homme qui croyait qu'on se sent comme on a choisi de se sentir.

Quelques mois après la mort de sa femme, Jules décida de se tourner vers les autres et de les encourager. Je le sais car il a consolé mon propre cœur. Son soutien a cimenté notre amitié. Jules avait maintenant la garantie qu'il ne serait jamais seul.

Jules m'a appris que le chagrin, c'est comme une image embrouillée projetée sur un écran. On peut encore distinguer les grandes formes mais les détails sont complètement effacés. La guérison, c'est la remise au point de l'image. Peu à peu, tous les détails réapparaissent et on a, une fois de plus, une image claire et précise. Finalement, on peut se réjouir de voir l'image au complet et l'apprécier sous un jour nouveau.

La solitude continue à étreindre ceux qui refusent d'aller vers les autres et de dialoguer avec eux.

QUELQUES EXERCICES UTILES

1) Souffrez-vous de solitude? Vous sentez-vous emmuré? Faites une liste de choses pratiques que vous pourriez faire pour briser vos murs.

2) Avez-vous des parents ou des amis qui sont emmurés? Faites des plans pour les aider à détruire leurs murs. Cela sera un excellent moyen de vous débarrasser de vos propres murs.

17

Quelques questions courantes et leurs réponses

Je dois ce chapitre aux personnes extraordinaires qui ont fréquenté mes séminaires au cours des dernières années. Elles m'ont fait confiance et m'ont raconté leurs expériences douloureuses. Elles ont accepté d'écrire ce qu'elles ont fait pour s'en sortir. Avec leur permission, tout en respectant leur anonymat, je partage avec vous leurs pensées et leurs idées.

Mes amis n'ont pas la prétention de posséder toutes les réponses à toutes les questions. Aucun ne proclame que ses techniques sont idéales ou qu'elles réussissent pour tout le monde. Ce que chacun croit, c'est que partager avec ceux qui ont vécu quelque chose de similaire peut être une source d'encouragement et de guérison.

Ma question était :

« Comment avez-vous fait face à la solitude ? »

Voici leurs réponses :

« J'ai commencé par fuir. À la maison, je me sentais si seule que j'avais l'impression de n'être que la moitié d'une personne. L'autre moitié avait disparu. Je n'arrivais pas à lire ni à regarder la télévision. Je ne pouvais même pas rester assise tranquille. J'errais d'une pièce à l'autre. Je n'avais plus aucune motivation. J'avais toujours aimé coudre. Maintenant, je n'arrivais plus à tenir une aiguille. Je me fixais des buts mais je ne les atteignais pas. Je perdais tout. Je commençais dix choses à la fois et n'en terminais aucune. Je suis restée chez mon oncle pendant sept mois. Mais au mois d'avril, j'ai eu le mal de la maison. Je m'enfuyais à nouveau. Cette fois-ci, je revenais chez moi.

Après cette année interminable, je commence tout juste à réaliser que je peux faire ce que je veux sans avoir à consulter qui que ce soit. Je peux lire toute la nuit, coudre au lieu de manger et fermer la télé quand le programme ne m'intéresse pas. Je me sens encore très seule par moments mais j'arrive à occuper mon temps avec des choses que j'aime. J'arrive à être seule sans me sentir seule. J'ai toujours été très occupée. Progressivement, je reprends mes activités sans me fatiguer. »

Cette lettre est intéressante car son auteur décrit avec honnêteté son voyage d'une solitude désespérante à une vie satisfaisante. J'espère que vous avez bien noté le temps que cela lui a pris.

Une personne a écrit avec sagesse :

« Je n'ai pas pu supporter ma solitude. Il a fallu que je demande de l'aide. »

Elle a appris l'importance d'exprimer ce qu'elle ressent :

« Les sentiments de solitude et d'abandon vont et viennent souvent d'une manière totalement inattendue. Par exemple, ils peuvent survenir à l'épicerie à la vue d'un aliment particulier que l'être cher que vous avez perdu aimait spécialement. Pour ma part, j'ai appris à pleurer là, sur le coup, oui ! en plein magasin. Oh ! c'est gênant pendant quelques minutes, puis après on se sent tellement mieux ! »

« Moi, écrit une autre personne, je me suis fixée des buts divers. Depuis, je n'ai cessé de progresser. Je m'étais donné six mois de chagrin intense. Je me disais « Aie confiance, cela va aller mieux. » Il est important de se le dire souvent. »

Pour lutter contre la solitude et l'isolement, une dame a déclaré :

« Je me tenais occupée, très occupée. À l'église, je faisais partie de la chorale, du cercle de prières et du club missionnaire. J'ai repris mes leçons de chant et de piano. »

« Pour moi, la meilleure méthode pour combattre la solitude a été d'aider les autres. »

« J'ai planifié de faire des choses même si elles étaient insignifiantes. Je me suis lancée dans un projet de décoration intérieure. »

« J'ai redécouvert mes amis et ma famille. »

J'ai aussi demandé à mes amis combien de temps la souffrance intense de leur chagrin avait duré et ce qui avait aidé à la soulager. Leurs réponses ont été diverses mais la durée variait entre deux semaines et un an.

Une personne a écrit :

« L'exercice physique a beaucoup contribué à diminuer ma souffrance. Je prenais du soleil et je sentais ma douleur aspirée vers le ciel. »

« Pour ma part, me dit un homme, j'ai appris à pleurer. Je n'avais jamais pleuré auparavant. J'allais à l'église et je pleurais. Je pleurais sur des lettres, sur des photos. Je pleurais en voyant un film, en écoutant une chanson. J'ai pleuré en décrochant ses vêtements et j'ai pleuré en les emballant. Pleurer et écrire ma douleur m'a énormément aidé. Je souffre encore, mais plus autant. Les attaques ne sont plus aussi fréquentes et je commence à voir autour de mes souvenirs la lumière dorée d'un soleil couchant. »

Une maman qui avait perdu son enfant m'a dit que sa douleur aiguë a duré neuf mois – le temps de sa grossesse. Elle a réussi à alléger sa douleur en s'occupant des jeunes sans-abri. Elle a dit :

« Tout ce que je fais, c'est remettre un peu de l'amour que Dieu m'a donné. »

Certaines personnes estiment que retourner au travail aussi vite que possible les aide à amortir leur chagrin. D'autres avertissent de ne pas le faire tant que les sentiments de douleur ne sont pas guéris.

Une divorcée a insisté sur la nécessité de changer ses habitudes. Pour elle, cela a diminué sa souffrance et lui a ouvert de nouveaux horizons :

« Les anniversaires, les fêtes et les jours de congé étaient des points forts de ma vie. Ils représentaient des jours heureux et une source de très grand bonheur. J'ai donc décidé de briser cette tradition et de ne plus rien faire qui ressemblait à ce que je faisais « avant ». Après deux ans de luttes, j'ai découvert que j'ai pu vivre le gros mois des anniversaires et des fêtes familiales sans être ravagée. J'ai réalisé que je pouvais trouver du plaisir à faire des activités totalement nouvelles pour moi. »

Tous les amis qui ont partagé avec moi leurs secrets avaient en commun une philosophie de vie et une attitude qui leur a permis de transformer une tragédie en un événement profond et riche de sens pour leur vie.

L'un d'entre eux a pu dire, sans ressentir de dépression ni d'émotion incontrôlable, signe de son réel progrès :

« Je crois que Dieu a un plan pour ma vie, alors je ne m'inquiète pas de l'avenir et j'apprends à vivre un jour à la fois. J'ai pris conscience de ma personnalité et je ne me sens plus comme étant seulement la moitié d'un couple. Il me semble que mon individualité s'est affirmée et que j'ai plus de profondeur.

Pour dire la vérité, j'aime être cette nouvelle personne. »

Un autre de mes amis a énoncé ainsi sa philosophie :

« Considérez que chaque jour est une aventure. Découvrez donc quelque chose qui vous fera plaisir et quelqu'un que vous pourrez aimer, sans oublier de travailler un petit peu à quelque chose d'utile. Car un jour demain ne viendra pas et le monde continuera sans vous. »

La lecture de ces nombreuses lettres m'a transformé. Je suis devenu un homme riche, riche en compréhension et en amitié. Croyez-moi, il existe pour ceux qui ont un chagrin, une guérison véritable qui se manifestera toujours par le merveilleux désir d'aider, d'encourager et de relever ceux qui sont abattus.

18

Le chagrin et l'agressivité

Sara vivait dans une cabane de bois rond au bord d'une rivière. Vue de l'extérieur, sa maison avait l'air abandonnée. La pelouse n'était que mauvaises herbes. Les volets étaient brisés et il manquait des carreaux aux fenêtres.

Chaque fois que je lui rendais visite, Sara se dépêchait de sortir pour me recevoir à la porte. Jamais elle ne m'invitait à entrer chez elle. Son visage était profondément ridé, ses yeux étaient enfoncés et j'avais l'impression qu'il y avait entre elle et moi un mur de glace. Elle semblait avoir peur de me faire confiance et acceptait tout juste de bavarder avec moi de la pluie et du beau temps ou de son jardin.

Un soir, j'eus la chance de la connaître mieux. J'étais arrivé sans faire de bruit. La vieille dame était dans son jardin et ne m'avait pas entendu venir. Quand elle me vit, j'étais déjà à sa hauteur. Elle se hâta de ramasser son panier de pommes de terre et essaya de se diriger vers la porte. Mais je la devançai et allai droit à la maison.

« Laissez-moi vous ouvrir la porte, vous êtes tellement chargée », lui dis-je.

Elle entra et j'entrai derrière elle. Elle déposa son panier, prête à retourner dehors mais moi, je m'étais déjà assis au salon.

Elle rougit de honte tant sa maison était en désordre.

« Ne vous inquiétez pas pour ça, lui dis-je, je suis venu pour vous voir, vous, et non pas votre maison. »

L'automne était avancé, l'air était humide et froid et il n'y avait pas de feu pour nous réchauffer. Assis sur des chaises droites, nous avons fait un brin de causette tout en claquant des dents.

« Sara, je ne vous connais pas très bien. Vous semblez être toute seule. Avez-vous de la famille proche ? demandai-je.

– Plus maintenant. J'avais mon mari mais voilà tout près de dix ans qu'il est mort, me dit-elle sur un ton désolé.

– Vous avez dû vous sentir très seule toutes ces années-là, suggérai-je. Y-a-t-il quelqu'un avec qui vous avez pu partager votre chagrin ? »

Je connus enfin son histoire. Les gens de sa communauté n'étaient pas venus à l'enterrement de son mari. Le pasteur avait célébré le service mais il ne l'avait jamais visitée par la suite. Sa colère d'avoir perdu son mari avait été intensifiée par la négligence de ses amis. Pour ne pas souffrir davantage, elle s'était dépêchée de construire un mur autour d'elle. Dix ans plus tard, ce mur était presque impénétrable. Et Sara était prisonnière à l'intérieur. Elle ne pouvait plus aller vers les autres.

Alors, sur le ton d'un professeur d'école, je lui dis:

« Sara, je veux que vous écoutiez très attentivement ce que je vais vous dire. Et je vous le dis tout de suite, je n'accepterai pas un non comme réponse. Vous avez besoin d'un bon repas chaud que vous n'aurez pas préparé et d'une journée de détente et de jeux avec des enfants. Soyez prête dimanche matin à 10 heures. Je viendrai vous chercher et vous passerez quelques heures chez nous. »

Je me levai pour partir mais Sara alla à la cuisine et fouilla parmi plusieurs bouteilles sur sa table. Avec un éclat dans les yeux, elle me dit:

« Mon fils, je devrais avoir honte de vous avoir laisser geler comme ça. J'ai peur que vous soyez tombé malade. Tenez, ces pilules du fruit de l'églantier vont vous aider à ne pas avoir la grippe. Croquez-les pendant votre retour. »

Elle avait réagi comme je voulais. Mon insistance auprès d'elle avait été récompensée. Son mur n'était pas totalement impénétrable après tout. Et il faut que je vous le dise : La journée fut un immense succès. Mes petits garçons furent un excellent remède pour l'esprit brisé de cette pauvre vieille dame. La seule chose qu'elle n'a pas aimé a été le gâteau. Elle l'a trouvé trop sucré et trop de sucre, avait-elle dit, ça donne la grippe.

L'expérience de Sara est riche de leçons pour ceux qui ont un chagrin. Il est si facile de s'isoler du monde qui nous entoure quand notre propre monde s'est écroulé ! Il est si courant de vouloir se replier sur soi-même pour éviter de souffrir encore plus. Être trop sensible aux insensibilités des autres amène à se prendre en pitié et se prendre en pitié est exactement ce qu'il faut pour construire des murs d'agressivité.

Pour terminer l'histoire de Sara, laissez-moi vous dire que j'ai demandé à plusieurs de mes connaissances de m'aider à l'aider. J'ai alors découvert que sa colère au sujet de la mort de son mari l'avait rendue très agressive et qu'elle avait littéralement fait fuir de peur ses amis. Leurs avances avaient été repoussées avec violence et personne ne voulait plus goûter à un tel traitement. Sara avait totalement détruit son petit système de soutien.

Amis et connaissances de ceux qui ont un chagrin, sachez-le : Si vous attendez une invitation de ceux qui ont le cœur brisé, vous n'en recevrez probablement jamais. Ceux qui souffrent pensent et disent : « Je ne veux pas m'imposer à qui que ce soit » ou « Chacun a sa vie à vivre » ou « Qu'ont-ils à faire avec quelqu'un qui pleure sur leur épaule ? » ou encore « Je ne me sens pas à l'aise ».

Vous devez faire des pieds et des mains pour ramener la victime d'un chagrin dans la vie courante. Considérez que ces murs d'agressivité sont des appels au secours. Relevez le défi et trouvez des moyens intéressants de gagner la confiance de ceux qui ont été brisés par une perte. Persévérez dans votre conquête car derrière chaque mur d'agressivité, il y a un trésor humain unique.

Selon moi, une des souffrances les plus profondes est de voir un mari et sa femme construire entre eux un mur d'agressivité à la suite de la perte de leur enfant. Ils ont besoin de recevoir l'un et l'autre, l'un de l'autre, de la tendresse et du réconfort… mais tout ce qu'ils réussissent à faire, c'est de s'en vouloir et de s'accuser mutuellement, ouvertement ou silencieusement.

Beaucoup de couples mariés qui consultent pour des problèmes conjugaux souffrent en réalité d'un chagrin non guéri. Un professionnel compétent, au tout début de la consultation, saura faire un relevé précis des pertes que le couple a subies depuis le début de son mariage. Il ne perdra pas de temps à essayer de régler des symptômes comme les problèmes financiers ou sexuels. Il s'attaquera directement à la cause du manque d'harmonie.

Dans un mariage, tour à tour, le mari ou la femme offre son soutien à l'autre en période de crise. Mais quand survient la mort d'un enfant, tous les deux, en même temps, souffrent de la même souffrance et il leur est impossible de s'aider l'un l'autre. Bien sûr, une telle situation soulève du ressentiment et de la colère qui coupent toute communication. Je conseille aux parents éplorés de rechercher l'aide d'un conseiller ou d'un ami fidèle immédiatement après l'enterrement. Cela évitera l'érection de barrières inutiles et destructrices.

Les professionnels de la santé et les intervenants devraient être au courant des conséquences d'un chagrin mal guéri. Ils devraient se faire un devoir d'aller vers les parents endeuillés pour leur offrir leur aide plutôt que d'attendre que leurs cris de désespoir parviennent jusqu'à eux.

Il y a déjà de nombreuses années, ma femme et moi avions rencontré de nouveaux amis originaires de l'Amérique du Sud. Nous ne les connaissions pas depuis très longtemps mais quand ils ont eu leur premier enfant, ils nous ont tout de suite téléphoné. Malheureusement, le bébé était mort-né… Je fis immédiatement des arrangements avec un pasteur parlant espagnol et j'allai avec lui et le directeur des funérailles rencontrer le père au cimetière. Là, nous avons placé le petit, tout petit chéri dans une boîte de bois peinte en blanc et nous l'avons descendu en terre. La pauvre mère, déchirée, meurtrie, était trop malade pour venir au cimetière assister à l'enterrement.

Une semaine plus tard, ma femme et moi avons pensé à leur apporter du réconfort. Nous avons hésité quelque peu mais nous savions qu'il fallait le faire. En nous voyant, ils se sont tous les deux jetés à notre cou. Le père m'a serré dans ses bras et la mère, encore alitée, a tiré ma femme vers elle et toutes les deux ont pleuré abondamment, la tête enfouie dans l'oreiller.

Ce n'est que beaucoup plus tard que nous avons réalisé combien notre visite impromptue avait empêché deux personnes totalement coupées de leur famille et étrangères dans notre pays, de se replier sur elles-mêmes et de devenir agressives et amères.

C'est au début de leur chagrin que les gens veulent désespérément parler. Un mur d'agressivité, ça ne se bâtit pas instantanément. C'est le résultat de semaines et de mois de solitude et de silence chez ceux qui n'ont personne à qui parler.

Si l'on soignait immédiatement ceux qui sont malades de chagrin, nous ne rencontrerions pas de Sara.

19

Un miracle

Chaque fois que je suis témoin de la guérison d'un esprit brisé, j'ai la conviction
que guérir une âme qui souffre est le plus grand des
miracles de Dieu. Oui, pour moi, la plus grande
preuve que Dieu n'est pas mort, c'est la résurrection
d'une personne ravagée par le chagrin et qui, une fois
de plus, arrive à aimer et à servir les autres.

J'ai été témoin de ce miracle alors que j'étais très
jeune. Chaque jour de l'Armistice, j'aidais mes parents
à remplir une vieille cuve à laver le linge avec d'énormes pivoines rouges et blanches. Papa chargeait le
bassin fleuri dans le coffre de notre voiture et nous
conduisait tous à la limite de notre ferme. Là se trouvait
un petit cimetière, à l'ombre des arbres, avec cinq pierres tombales très simplement identifiées « Yeagley ».

Maman remplissait alors les vases avec les fleurs, tout en nous racontant à chaque fois, le triste récit de la perte de cinq de ses treize enfants. La partie la plus effroyable de cette histoire était que deux enfants étaient morts presque simultanément et leurs deux petits corps avaient été placés devant la porte d'entrée sur la galerie en plein hiver. Le pasteur avait célébré le service funéraire là, debout dans le froid, car il ne pouvait entrer dans la maison mise en quarantaine à cause de la fièvre scarlatine.

Alors que j'étais déjà beaucoup plus grand, Maman a eu son quatorzième enfant, la petite Audrey. À sa naissance, le docteur lui avait dit qu'elle ne survivrait pas à cause de multiples malformations... Quelques semaines plus tard, j'ai vu Maman coucher la petite Audrey dans son berceau pour la dernière fois. Elle s'était doucement endormie du sommeil de la mort alors qu'elle la serrait sur son cœur.

Au service funéraire, je m'étais assis tout près du cercueil et j'avais pleuré pendant que l'orgue jouait une berceuse « Bonne nuit et au revoir mon petit... » Je regardai mes parents et vis leur souffrance dans les larmes abondantes qui couvraient leurs visages. Six enfants sur quatorze. Comment pourraient-ils jamais en guérir ? J'ai eu ma réponse à cette question. Mes parents ont guéri et ils ont utilisé la vie qu'ils avaient encore pour bénir les autres. Comme de braves soldats du combat de la vie, ils étaient couverts de cicatrices mais ils n'avaient plus mal...

Un cœur brisé, c'est un cœur à guérir et c'est à cela que Dieu s'occupe constamment. L'histoire de

Maria en est la preuve. Elle était à un de mes séminaires et c'est ainsi qu'elle s'est présentée :

« Je m'appelle Maria. J'ai eu le cancer du sein il
y a quelques années. Je ne pouvais le croire tout
d'abord, mais je me suis dit que les médecins s'en
occuperaient et me guériraient. »

Je lui demandai :

« Maria, est-ce là la plus récente perte de votre
vie ?

– Non, me dit-elle. Vous voyez, je viens de sortir
de l'hôpital il y a tout juste une semaine et ils m'ont
dit que j'avais le cancer du poumon. »

Tout en racontant son histoire, Maria souriait
et riait très nerveusement. Elle continua :

« J'ai dit au docteur que je ne voulais pas de ses
traitements et que je passerais à travers cette maladie
sans aucune intervention. »

À côté de Maria, il y avait un gamin de 14 ans.
C'était à son tour de se présenter :

« Je m'appelle Jarry. Euh ! je ne suis pas aussi
âgé que la plupart d'entre vous ici présents, mais der-
nièrement j'ai eu des difficultés à dormir, à manger et
à tout faire, nous dit-il d'une petite voix.

– Depuis combien de temps cela dure-t-il ?
demandai-je.

– Oh ! ça vient et ça part. Juste au moment où
je pense que ça va aller ça me reprend tout d'un coup.

Mon frère s'est enfui de la maison, il y a quatre ans, et il n'est pas revenu depuis. Je n'ai aucune nouvelle de lui. Ma petite sœur est morte de leucémie il y a trois ans. Elle était vraiment malade… »

Jarry s'est arrêté là et il a baissé la tête. Puis, avec un grand effort, il l'a relevée et a continué :

« Je ne veux pas vous déranger ni quoi que ce soit, mais il y a deux ans et demi, mon père a assassiné ma mère. Ma sœur et moi l'avons trouvée morte au retour de l'école. Nous avons appelé la police et mon père maintenant est en prison. »

Il poussa un énorme soupir et dit :

« Je pense que je n'ai jamais raconté cela à personne auparavant. Je me sens mieux de l'avoir enfin dit. »

Je me tournai vers Maria et remarquai qu'elle voulait encore parler. Elle se mit à raconter une fois de plus sa maladie, mais toujours avec des sourires et des rires nerveux. Je lui dis :

« Maria, comment pouvez-vous raconter une histoire aussi triste avec un sourire et en riant ? »

Son sourire s'évanouit instantanément. Un torrent de larmes jaillit de ses yeux et des mots de colère contre les médecins et sa famille s'échappèrent de ses lèvres tremblantes. Son masque était finalement tombé et il ne cachait plus les ravages de sa maladie.

Au cours des quatre semaines suivantes, Maria accepta de penser, d'écrire et de parler. Elle fut très honnête avec ses sentiments. Je pouvais voir le lent processus de guérison à l'œuvre.

Plusieurs mois après la thérapie qu'elle avait suivie avec moi et son groupe, je reçus un appel de Maria. Elle était hospitalisée dans une autre ville et me demandait de la visiter.

J'arrivai dans sa chambre située dans le pavillon des cancéreux et ses premières paroles m'attristèrent :

« Lawrence, les médecins viennent de me signaler que le cancer a envahi mon cerveau. Je pense que c'est mon dernier voyage. Vous rappelez-vous combien j'étais en colère pendant vos cours ? Je veux vous dire que je ne le suis plus du tout. J'ai réussi à liquider toute ma colère pendant ces sessions. Maintenant, je ressens plein d'amour pour tout le monde. Quand les infirmières viennent me voir, je leur dis que Dieu les aime et que je les aime moi aussi. J'ai dit cela au docteur, l'autre jour, et il m'a serré dans ses bras et m'a donné une grosse bise avant de partir.

– Il me semble que vous avez vraiment beaucoup grandi Maria, lui dis-je.

– Oui, je pense. Lawrence, vous rappelez-vous de Jarry ?

– Comment pourrais-je l'oublier ?

– Vous ne le savez pas mais à notre dernière session, j'ai serré Jarry dans mes bras de toutes mes forces et je lui ai dit que si j'avais vingt ans de moins et si je n'avais pas le cancer j'aimerais être sa maman. J'aime ce petit garçon. »

En quittant Maria, je l'ai serrée dans mes bras et je lui ai fait la bise. Elle me dit que Dieu m'aimait et qu'elle m'aimait aussi.

Je me dirigeai vers ma voiture en état de choc. Je venais d'être témoin d'un miracle, le miracle de la guérison d'un cœur brisé.

Ce soir-là, je reçus un appel de Jarry :

« Lawrence, c'est Jarry. Vous vous rappelez de ce séminaire pour guérir de son chagrin auquel j'ai participé ? Eh ! bien, je viens de recevoir une lettre d'une des dames qui était là aussi et elle me dit qu'elle a déposé 300 dollars en banque à mon nom pour quand j'irai au collège. »

Il était tellement heureux que les mots se bousculaient dans sa bouche :

« A-t-elle signé son nom, demandai-je ?

– Non. Il n'y a pas de nom mais je sais qui a écrit cette lettre. C'est la dame qui était assise à côté de moi.

– Maria, murmurai-je… »

Le miracle était maintenant confirmé.

UN EXERCICE UTILE

Regardez en arrière. Considérez vos pertes et voyez comment vous vous en êtes sorti. Faites une liste de ce qui vous a aidé. Peut-être aimeriez-vous écrire une lettre de gratitude. Fêtez votre progrès en plantant un arbre à la mémoire de la personne que vous avez perdue. Utilisez votre imagination et célébrez à la manière qui vous convient la guérison de votre cœur.

Table des matières

Introduction 7

1. La douleur du chagrin 9
2. Pourquoi est-ce si dur ? 25
3. L'analyse spectrale du chagrin 37
4. Prêt ou pas, le chagrin vient 49
5. L'anatomie du chagrin 59
6. Les tâches du chagrin 71
7. En route vers la guérison 89
8. Révision et reconstruction 103
9. Dire au revoir 113
10. Le cercle brisé 127
11. Le chagrin dans le couple 135
12. Le chagrin dans la famille 149
13. L'affliction volontaire 171
14. Soyez bon envers vous-même 181
15. Réapprendre à vivre 191
16. Le problème de la solitude 203
17. Quelques questions courantes
    et leurs réponses 215
18. Le chagrin et l'agressivité 221
19. Un miracle 229

Pour aller plus loin

Si vous désirez des outils complémentaires à ce livre pour guérir de votre chagrin, nous vous proposons :

UN ESSAI :
Le nouvel Ars Moriendi, dit l'art de bien mourir,
    par Stefan Starenkyj

Un petit livre pour un accompagnement fidèle de quiconque souffre et recherche la paix du cœur.

DE LA POÉSIE :
Mots d'âme, par Elisabeth Starenkyj

Un recueil où l'on entend un cœur qui crie et bouleverse tout.

DE LA MUSIQUE :
Courage Through Hardship – Negro Spirituals,
    par Elisabeth Starenkyj violon / Monique Lemay piano

Un album instrumental qui fera pénétrer dans votre cœur la paix de ceux qui ont su chanter quand ils voulaient hurler.

Tous ces titres sont disponibles chez :

Publications Orion Inc.
C.P. 1280 Richmond (Québec) J0B 2H0 Canada
(819) 848-2888

Transcontinental
IMPRESSION
IMPRIMERIE GAGNÉ

IMPRIMÉ AU CANADA